COMMENT PROPHÉTISER
POUR ACTIVER
VOTRE POTENTIEL

DES STRATÉGIES DE PRIÈRES QUI N'ÉCHOUENT JAMAIS

Éditeur : Euloge Ekissi
Correction : Monique Mitchell USA, Félix Konan, CI et Nadege Alou USA
Révision linguistique : Felix Konan, Diane Hébert et Jean-Sébastien Bourré
Photo de la couverture : Greg Séraph
Conception graphique de la couverture : Face (A) Couleurs d'Afrique
Conception graphique de la couverture : Face (B) Diane Gingras (Impression VIP)
Conception graphique de la mise en page intérieure : Lise Coulombe

Catalogage avant publication
de Bibliothèque et Archives nationales du Québec
et Bibliothèque et Archives Canada

Ekissi N'takpe Euloge, 1977 –
Comment prophétiser pour activer votre potentiel
sous-titré «Des stratégies de prières qui n'échouent jamais»
Livre d'enseignements et de prières prophétiques

Les Écritures saintes sont tirées de la version biblique en français
Louis Segond 1910.

ISBN 978-2-9815272-3-3 (3e édition, 2016)
ISBN 978-2-9815272-0-2 (1ere et 2e édition, 2015)
Dépôts légaux :
– Bibliothèque et Archives nationales du Québec, 2016
– Bibliothèque et Archives Canada, 2016

Pour toute information, contactez Euloge Ekissi

Téléphone :   001 438 995 4109
                  001 438 989-2161

Courriel :   prieresenligne@gmail.com
                 eulogeekissi@yahoo.com

Sites web :   www.eulogeekissi.com
                  www.prayerbooks.net
                  www.onlineprayers.ca

EULOGE EKISSI

COMMENT PROPHÉTISER
POUR ACTIVER
VOTRE POTENTIEL

DES STRATÉGIES DE PRIÈRES QUI N'ÉCHOUENT JAMAIS

$\mathcal{L}e$ livre d'or

CE LIVRE CHANGERA VOTRE VISION DU MONDE POUR TOUJOURS.

$\mathscr{C}$itations

«Si le scénario de notre vie n'a pas changé depuis tant d'années, c'est tout simplement parce que nous n'avons pas encore pris le temps de le réécrire.»

EULOGE EKISSI

«Il faut donc apprendre à prêter l'oreille au rythme de la vie, pour comprendre quand un changement doit s'effectuer. Sinon, nous risquons de passer toute notre existence en forçant de vieilles choses qui ne feront que nous décevoir.»

EULOGE EKISSI

«Avoir la foi, c'est parvenir à trouver la force d'avancer avec la conviction de réussir, alors que tout semble flou à l'horizon et que nos échecs se multiplient.»

EULOGE EKISSI

«Notre rêve est l'image de ce que nous sommes divinement prédestinés à devenir, qui nous appelle à prendre notre véritable position dans la vie.»

EULOGE EKISSI

«En décidant de voir le potentiel derrière chaque adversité, toute opposition sur le chemin de notre destinée devient pour nous un tremplin, et une source de motivation pour atteindre notre but.»

EULOGE EKISSI

TÉMOIGNAGES

Bonjour! vous trouverez dans cette section, des témoignages émouvants venant de la part des lecteurs de ce livre. Ces témoignages sont des messages de remerciements qui nous ont été adressés par des heureux clients, et des personnes qui avaient bénéficié des conseils et des prières tirées de ce livre dans les quatre coins du monde pour régler leurs difficultés. Alors, nous vous conseillons vivement de prêter attention à son contenu, et de l'appliquer conformément à ses recommandations afin que vous puissiez vivre votre vraie vie, et non sacrifier votre potentiel en dehors du plan divin pour vous. N'oubliez pas que vous avez une seule vie et ne la sacrifiez pas à vivre dans le rêve de quelqu'un d'autre. Sinon, vous risquez de vous réveiller un beau jour, sans avoir réalisé le vôtre.

CE LIVRE A TRANSFORMÉ DE NOMBREUSES VIES.
ALORS, DÉCOUVREZ CE QUE D'AUTRES GENS DISENT À SON PROPOS

«Ce livre est si bon que je suis entièrement sûr qu'il deviendra un best-seller.»

JULIEN JEAN-CLAUDE, CANADA

«Bonjour Euloge! Je ne sais comment vous remercier pour votre livre, mais je vous en suis infiniment reconnaissante. Ce livre m'a beaucoup aidée, et grâce à vos conseils, tout va bien. J'adore vraiment ce bouquin ; car, il contient de nombreuses idées positives et de bons conseils. Merci beaucoup, et que Dieu vous bénisse.»

GUIRLINDA, MONTRÉAL CANADA

«Cher Euloge, ce livre regorge de nombreuses inspirations, des messages, suscitant des interrogations rhétoriques. Tes citations m'inspirent et me donnent la rage de ne point abandonner et de continuer davantage à lutter... Tes citations me conduisent à des interrogations dont la véracité des réponses me plonge dans des regrets douloureux, parce que je me dis; "pourquoi ne me suis-je pas posé ces questions auparavant?" "Pourquoi n'ai-je pas vu sitôt ces réponses aux situations" auxquelles j'ai été confrontée, et qui me réduisent à ma plus simple expression? Et en même temps, je me réjouis de ce qu'il ne soit pas trop tard; du moins il n'est pas tard. Car, je découvre ses grands secrets, sans doute parce que le temps de notre Dieu est arrivé; merci pour ce livre.»

KONAN FÉLIX, CÔTE D'IVOIRE

«Bon matin, Momy, merci beaucoup pour le livre. J'ai commencé à lire et c'est vraiment puissant. De nombreuses connaissances m'accrochent et ma vision du monde est en train de changer. Alors, merci de me faire découvrir le livre du frère Euloge.»

STANLEY CLERVAL, CANADA

«J'ai eu l'occasion de lire plusieurs livres de prières, mais ces livres ne donnaient pas des explications ou les raisons pour lesquelles il fallait faire telle ou telle prière. Cependant, **votre livre est une œuvre d'art**. Il se lit très bien, et on y trouve des bonnes pistes pour faire une prière efficace. J'aime les explications que l'auteur donne sur les raisons qui poussent à faire telle ou telle prière. Ce livre est une bénédiction pour moi. **Merci et soyez bénis.** »

CORNÉLIE MBAYA, LONDON, ONTARIO

«Ce livre nous a beaucoup ouvert les yeux sur le plan spirituel durant nos épreuves en été dernier. Nous avons beaucoup prié avec, et cela nous a évité de sombrer. Les prières que nous avions faites avec le livre et avec toi au téléphone entretenaient notre foi au jour le jour, et nous sommes restés heureux malgré cette crise. Grâce à ce livre, la crise traversée ne nous a pas affectés. Alors, mon mari et moi te remercions infiniment. Aussi, je le conseille vivement à toute personne qui traverse une crise en ce moment.»

NADEGE ALLOU, NEW YORK

«Bonjour Euloge! D'où te provient cette sagesse? Je me pose de nombreuses questions à ton sujet, parce que tout est juste et vrai dans tes propos... Merci pour tous tes messages de sagesse, vu que cela me fait beaucoup de bien. Ces paroles me remontent le moral et me donnent plus de confiance. Que Dieu te bénisse et t'élève davantage.»

GISLAIN KAMON, CÔTE D'IVOIRE

*«Évangéliste Euloge Ekissi. Le livre **Comment prophétiser pour activer votre potentiel** est aux œuvres et miracles du Saint-Esprit, et à la démonstration illimitée de la puissance de Dieu dans ma vie. Ce livre m'a délivré au-delà de toute entente. Avec ce livre, je suis enseigné. Votre livre m'a fourni un moyen de sortir aux difficultés avec succès, et m'a donné des idées pour vaincre le harcèlement des puissances sataniques. Le contenu de ce livre m'a apporté le succès dans ma vie et dans mon foyer. Depuis que j'ai lu votre livre, je vais de succès en succès. Merci.»*

WILLY TSHIANI, LONDON, ONTARIO

«Un message plein de sagesse! Merci pour cette profonde réflexion.»

MOÏSE MOUGNAN, ÉDITEUR, CANADA

«Bonjour, Euloge Ekissi, je m'appelle Éric Daniel. Autrefois, j'avais des difficultés à tel point que je ne voyais pas le bout du tunnel. Quelques semaines après que je me fus résolu à utiliser les prières de ton livre avec un jeûne d'une semaine à l'appui, les portes me sont ouvertes, et j'ai eu l'occasion favorable dont je rêvais. Dans le passé, mon désir était de voyager, et de jouer avec des artistes d'une renommée internationale, mais tous mes efforts me ramenaient au point de départ. Cependant, après avoir utilisé ton livre et appliqué tes conseils, les portes me sont ouvertes et aujourd'hui, j'ai réalisé mon plus beau rêve. Merci de tout cœur, et que Dieu te bénisse.»

ÉRIC DANIEL, ARTISTE, SALZBOURG, AUTRICHE

«J'ignore d'où t'es venue ton inspiration, mais, la voie de ta sagesse est une lanterne qui éclaire les ténèbres de la nuit et bonifie la lumière du jour. C'est pourquoi je te félicite et t'encourage sur cette voie que tu as choisie.»

VALERY BEHI, CÔTE D'IVOIRE

«Votre livre m'apporte beaucoup de réconfort par tous ses encouragements à prier. C'est la seule solution, et c'est ce que Dieu veut que nous fassions : aller à lui, à chaque moment, car notre monde terrestre nous tiraille de son côté.»

MONIQUE MICHEL, ÉCRIVAINE, CALIFORNIE, ÉTATS-UNIS

«Vraiment, merci pour toutes ces paroles que tu as semées en moi. Aujourd'hui, les choses ne sont plus comme avant! Vraiment, si je ne t'avais pas rencontré ma vie n'aurait pas de sens, étant donné que grâce à toi, j'ai reçu beaucoup de choses de la vie. Merci beaucoup! que Dieu te bénisse.»

ADIEY MATHIEU, CÔTE D'IVOIRE

« C'est extraordinaire. Jamais je ne peux oublier tes prières et ton coaching. Dieu a parlé par ta bouche, et nous avons beaucoup de nouvelles bénédictions dans la vie de ma fille et moi-même. »

NICOLE SIROIS, CANADA

« Tu as été là pour moi dans des moments très sombres de ma vie et cela, je ne l'oublierai jamais. J'en suis éternellement reconnaissante, car tu as vu en moi ce que j'avais depuis trop longtemps oublié, ou dont je ne croyais plus [...] Tu as allumé la lumière en moi, et je t'en remercie. Merci du fond du cœur Euloge! Tu es un homme bon! Tu fais tant de bien aux gens que tu rencontres. Alors, merci! Les gens comme toi sont rares. Je suis enfin sur la route de mon bien-être, et je me sens en paix avec moi-même, car cela n'a pas été le cas pendant longtemps. Mais, maintenant, j'ai fait la paix avec mes blessures d'enfance, et je me sens libre, et paisible. Il est temps de m'envoler. »

CAROLE LOUIS, CANADA

« Bonjour! Euloge. Permettez-moi de commencer par dire que je suis très fier de vous. Vos paroles sont sages et vraies. Je suis vos sermons, et ils sont vraiment bons. Vous avez fait beaucoup de bonnes choses, et Dieu vous récompensera. Vous êtes toujours dans mon esprit, et dans mon cœur; merci pour vos prières. Que Dieu vous bénisse frère Euloge pour tout ce que vous avez fait pour moi sans même le savoir. Je ne peux pas croire que quelqu'un comme vous existe. Depuis que vos messages sont dans ma vie, je suis devenu un homme meilleur. Vous m'avez appris tant de choses. Vous avez fait de moi une meilleure personne, et je vous en remercie. Je vous en suis très reconnaissant, car vous avez vraiment touché mon cœur avec toute votre sagesse et compassion. J'aimerais rencontrer plus de personnes comme vous. Je suis très chanceux de vous avoir rencontré. »

LUZ MARKUS, DE BOSTON, USA

11

«Bonjour cher ami Euloge! Je t'écris pour te dire que j'apprécie énormément ton livre. C'est comme si tout ce que je lis avait été écrit pour moi, tellement j'ai découvert de bonnes choses qui m'inspirent d'une façon ou d'une autre. Que le Seigneur te bénisse pour tout. Merci de tout cœur.»

CORNELIUS VIVIEN, DE GÉORGIE USA

«Bonjour Euloge. Je voudrais te dire merci pour ton livre. Ce livre m'aide beaucoup et je pense que tous les chrétiens doivent l'avoir. Selon mon opinion, ce livre peut sauver le monde. Vraiment, que Dieu te bénisse pour ce livre. Merci.»

DE JUSTIN ANVO, DE MONTRÉAL, CANADA

«Bonjour M. Euloge, votre livre est très intéressant, bien écrit et très bien expliqué. Les prières de votre livre sont très efficaces, car elles apportent une solution à chaque problème. De nombreuses personnes ont des difficultés, mais ne savent pas ce qui se passe dans leur vie, alors je leur recommande ce livre. Si j'ai commandé une deuxième copie comme cadeau de fin d'année à mon frère, c'est parce que ce livre nous apprend à bien prier et nous montre comment vaincre tout ce qui nous dérange dans la vie. Merci!»

CATHY EMONY, DE MONTRÉAL CANADA

«Bonjour Euloge! ton inspiration et ta détermination sont proverbiales. L'histoire retiendra que tu as été puissamment utilisé par l'Éternel pour exhorter et motiver les générations de tous les continents pour leurs propres élévations. Selon moi, tu es la révélation de ta génération. Que l'Éternel te fortifie et t'inspire davantage; sois béni.»

EDY NYCHODAIM , PARIS, FRANCE

«Bonjour! votre livre est une révolution spirituelle et une de prise de conscience permettant d'atteindre la dimension voulue par Dieu. Le lire est un de moment de ressourcement qui permet de découvrir ses failles et de comprendre les clés qui nous permettent de les combler. Que Dieu continue à t'inspirer pour que ce torrent dont tu es le dépôt ne tarisse jamais. Sois bénisse.»

CHARLY KAMBUYI , CANADA

«Bonjour! Euloge, j'ai beaucoup aimé vos instructions. Je n'ai jamais perdu l'espoir, car vos conseils me donnent le courage et me forgent pour franchir les obstacles sur mon chemin. Je suis amplement fier de vous, car vous êtes un exemple et vos enseignements donnent de l'espoir à ceux qui sont conscients et sincères dans la poursuite de leurs désirs. Merci infiniment. Que le Tout-Puissant vous protège et vous bénisse.»

CHEICK ISSOUF, CÔTE D'IVOIRE

LIVRES D'EULOGE EKISSI
DÉJÀ PUBLIÉ

- COMMENT PROPHÉTISER
POUR ACTIVER VOTRE POTENTIEL

- COMMENT PRIER POUR OBTENIR
UNE PROTECTION DIVINE MAXIMALE

PROCHAINE PUBLICATION
PRÉVUE POUR 2016

- UN JOUR POUR TOUCHER LE CŒUR DE DIEU

- COMMENT RÉALISER VOS RÊVES EN MOINS DE 6 MOIS

- COMMENT PROVOQUER VOTRE ULTIME DÉLIVRANCE

SITES WEB

www.itanoh.com
www.onlineprayers.ca
www.prayerbooks.net
www.eulogeekissi.com

LE CONTENU DU LIVRE
« COMMENT PROPHÉTISER POUR ACTIVER VOTRE POTENTIEL »

CE LIVRE RENFERME DES CONSEILS QUI VOUS AIDERONT À TRACER VOTRE CHEMIN, SI VOUS LES APPLIQUEZ RÉSOLUMENT.

APRÈS L'AVOIR LU, VOTRE VISION DU MONDE CHANGERA ET VOUS NE SEREZ PLUS JAMAIS LA MÊME PERSONNE.

VOICI UN PETIT APERÇU DE CE QUE VOUS DÉCOUVRIREZ À L'INTÉRIEUR

UNE SOURCE DE SAGESSE INFINIE, DES SECRETS JAMAIS RÉVÉLÉS.

DE L'INSPIRATION POUR RALLUMER LA FLAMME DE VOTRE DESTINÉE, ET DES PRIÈRES PROPHÉTIQUES JAMAIS ÉCRITES AUPARAVANT.

Citations

«*Rien n'est difficile dans la vie quand l'on décide de voir en toutes choses l'opportunité de grandir.*» «*Si vous avez une pure volonté de réussir accompagnée de bons actes et de détermination, vous ferez de chaque jour de votre vie un soleil qui brille à jamais, et ce, même dans les pires circonstances de la vie.*»

«*Parfois, l'histoire d'une personne ne peut changer; mais, sa réalité peut toujours changer. Car, l'histoire, c'est ce que nous étions et ce que nous avions vécu. Mais, la réalité, c'est ce que nous devenons en appliquant ce que nous avons appris de la vie et ces épreuves.*»

«*Dès lors, en décidant de voir le potentiel derrière chaque adversité, toute opposition sur le chemin de notre destinée, devient pour nous un tremplin et une source de motivation, pour atteindre notre but.*»

«*Voici venu le moment d'activer votre vrai potentiel, en passant à l'action pour réaliser votre but sans attendre. En effet, il n'y a qu'en nous levant pour marcher vers la lumière qui consiste à faire des choix concrets, que nous oserons espérer aller à la rencontre de notre destinée, sans répéter les erreurs qui nous ont faits perdre certaines opportunités autrefois...*»

«*Retenez bien qu'il n'y a pas de meilleurs moments pour réussir ici-bas, excepté ceux que nous créons nous-mêmes, par nos pensées, nos choix, et nos actes pour saisir de nouvelles opportunités.*» «*C'est pourquoi un miracle que nous provoquons en ayant le courage de relever nos défis, de travailler et de prier jusqu'à la victoire vient plus vite qu'une solution lorsque nous restons les bras croisés à attendre.*»

EULOGE EKISSI

Je dédie ce livre à ma femme Mariani Guei,
à mes enfants, Flora Denova, Éva Dora, Ursula
Nigel, Axelia Maëlys, à ma mère et mes frères ;
sans oublier tous mes lecteurs, et à tous ceux
qui n'ont pas hésité à me soutenir durant ces
dernières années.

TABLE DES MATIÈRES

Confessions bibliques et prières prophétiques

⊰⊱

À PROPOS DE L'AUTEUR

QUI EST EULOGE EKISSI ?

Né en 1977 en Côte d'Ivoire, Euloge Ekissi est auteur, écrivain, conférencier et évangéliste. Il est marié et père de quatre enfants.

Il a d'abord été coiffeur, ensuite photographe et a travaillé pour des compagnies pétrolières avant de s'engager dans la musique où il a composé plus de 250 chansons suivies de plusieurs albums. Il a même été champion dans son pays en remportant plusieurs médailles d'or, d'argent et de bronze par équipe comme dans les compétitions individuelles avant de tout abandonner pour poursuivre son étoile.

Le succès de cet homme courageux, doté d'un savoir, conjugué le dynamisme et la rigueur de travail est la preuve que tout homme a des chances de réussir en toutes choses, pourvu que l'on se donne de tout cœur dans la réalisation de sa vision ou son rêve.

Un motivateur né, avec une sagesse permettant aux gens autour de lui de se délier des chaînes de déceptions et de retard que la vie impose aux êtres humains pour voir le meilleur qui réside en eux. 98 % des personnes qui ont été en contact avec Euloge Ekissi, de près ou de loin, dans plusieurs pays du monde, ont toutes été transformées pour avoir appliqué ses conseils et prières. Ses prières sont si efficaces qu'elles permettent à une personne de vite se sortir de ses difficultés, si celle-ci respecte et met en exécution ses instructions. Qu'ils soient des fidèles des églises où des personnes ordinaires n'ayant aucune connaissance de la parole de Dieu, tous ceux qui ont eu la chance de prier avec Euloge Ekissi, ou ont reçu ses enseignements, ont tous témoigné qu'il a un potentiel unique, et sont convaincues qu'il est la personne par qui Dieu a transformé leur vie.

Comme il le dit si bien dans sa citation : *«Rien n'est difficile dans la vie quand l'on décide de voir en toutes choses l'opportunité de grandir.»*

EULOGE EKISSI

21

MA VISION

«Si le scénario de notre vie n'a pas changé depuis tant d'années, c'est tout simplement parce que nous n'avons pas encore pris le temps de le réécrire.»

EULOGE EKISSI

Selon la parole de Dieu en **Proverbes 18 V21 :** *«C'est du fruit de sa bouche que l'homme rassasie son corps, c'est du produit de ses lèvres qu'il se rassasie et la mort et la vie sont au pouvoir de la langue ; quiconque l'aime en mangera les fruits.»* Édition revue de Louis Segond 1910

Mon intention en écrivant ce livre était de nous amener tous à créer un Nouveau Monde en changeant notre façon de voir notre monde actuel. Cependant, créer un Nouveau Monde pour demain devient impossible sans une prise de conscience des défauts qui existent en ce monde d'aujourd'hui. Alors, mon objectif en écrivant ce livre est d'aider les gens à avoir foi en des choses positives. Car, nous pouvons, à travers la puissance de l'Esprit de Dieu, créer un Nouveau Monde dans lequel il n'existe ni problème, ni peur d'échouer, ni divorce, encore moins la maladie en apprenant tout simplement à nourrir des pensées positives, à prophétiser et à déclarer des paroles constructives accompagnées d'actes favorables visant à créer un monde meilleur.

De même, je voudrais par ce livre, apprendre aux lecteurs à activer la puissance de leur imagination afin de renouveler leurs pensées. Car, à moins que nos pensées, nos choix et nos actes ne changent, le résultat de notre vie restera le même. Peu importe vos difficultés, vous êtes le seul capitaine de votre destinée ; Dieu est notre guide, notre conseiller et notre créateur, mais sachez qu'il donne à chacun ce qu'il désire et rend aux hommes selon leurs œuvres en leur permettant de récolter ce qu'ils sèment chaque jour de leur existence. *Les circonstances et événements qui surviennent chaque fois que nous nous fixons un objectif ne sont que des contestateurs du temps que Dieu nous a confiés pour réaliser notre but dans la vie. C'est pour cela que les hommes ne font face à des difficultés que, lorsqu'ils décident d'utiliser leur temps de manière créative pour accomplir des choses importantes. Alors, en écrivant ce livre, je voudrais aider les gens à avoir foi en des choses positives.* En effet, ce n'est qu'en espérant réussir et en unissant notre expérience du passé à notre compréhension d'aujourd'hui, que nous pouvons espérer aller à la rencontre de notre destinée, sans répéter les erreurs qui nous ont fait perdre des opportunités hier.

«Pour aller loin, nous devons apprendre à dépasser la limite que nous imposent la fatigue, la peur et le découragement. C'est peut-être après cette limite que nous trouverons notre gloire. Néanmoins, il faut avoir le courage de la franchir pour le savoir. **Car, derrière toutes les barrières invisibles se trouvent de nouveaux horizons à découvrir.** *Sur ces entrefaites, je voudrais, par ce livre conseiller, motiver et inspirer mes lecteurs en leur apprenant à parler à Dieu face à leurs difficultés.»*

«Selon moi, la vie n'est pas aussi courte que les hommes le disent ; toutefois, nous ne la comprenons pas parce qu'elle efface constamment nos traces, sans nous laisser le temps d'apprendre de nos erreurs.»

EULOGE EKISSI

Je voudrais donc partager par ce livre, des secrets et connaissances qui m'ont permis d'aider de nombreuses personnes à tracer leurs chemins pour réussir dans la vie, là où tout semblait déjà perdu pour elles.

«Souvenez-vous qu'il n'y a pas pire ennemi de notre triomphe que l'ignorance. Non seulement elle nous pousse à faire de mauvais choix, mais aussi, elle nous fait vivre dans un monde qui n'est pas le nôtre.» «Car, l'ignorance détruit notre destinée et nous rend esclaves de nos propres choix.

EULOGE EKISSI

C'est pour cela, je voudrais apprendre aux lecteurs à prophétiser pour briser les malédictions tenaillant leur destin, et leur permettre également de contrôler les circonstances et non pas être contrôlés par celles-ci, puisqu'ils apprendront au même instant à créer de nouvelles circonstances pour saisir leurs opportunités.

VOTRE GUIDE D'ACTION

À la lecture de ce livre, vous trouverez des enseignements suivis des points de prières. S'il vous arrive de découvrir une citation ou un enseignement vous permettant de comprendre certaines choses se déroulant dans votre vie, méditez la citation ou l'enseignement tout en cherchant à savoir les appliquer à votre situation pour la résoudre.

APPLICATION DES PRIÈRES PROPHÉTIQUES

Après sa lecture, ce livre ne vous apportera des résultats probants que si vous appliquez les prières et conseils que vous y trouverez. Dans la plupart des cas, les gens rangent leurs livres après les avoir lus. Mais ce livre contient des prières de délivrance et des prières prophétiques pouvant permettre à toute personne de programmer certaines choses qu'elle désire. Par conséquent, ce n'est qu'en les appliquant conformément à ces recommandations que vous atteindrez plus rapidement vos objectifs. Ne faites pas comme ceux qui ne sortent leurs Bibles ou livres de prières qu'en face des difficultés où après qu'ils eurent fait un cauchemar, mais priez en tout temps pour éviter que ces choses n'arrivent.

Marquez toutes les pages contenant des points de prières dont vous avez besoin, et focalisez-vous sur ces prières. Si vous trouvez une prière et qu'il vous est conseillé de la répéter pendant un certain nombre de fois, ou pendant une période de temps, veuillez le faire comme indiqué. Vous pouvez aussi choisir une section de prières, et l'appliquer pendant une heure ou plus, et cela, durant plusieurs jours. Le plus important dans la prière, c'est l'attitude, la persistance et la foi que celui ou celle qui prie démontre. Souvenez-vous que votre raison vous dira que vous n'avez pas besoin de prier longtemps pour avoir une réponse. Beaucoup de gens pensent la même chose d'ailleurs. Mais leur tort se justifie par le manque de résultats satisfaisants à la suite de leurs innombrables et fastidieux raisonnements. Cependant, au cours de vos prières, ne soyez pas comme des gens qui visent bas en faisant une petite prière pendant qu'ils rêvent grands. Mais, faites dans un temps raisonnable, des prières qui vous permettront de transformer votre vie afin d'avoir un impact à l'échelle mondiale.

Votre heure de percée a sonné

«Le présent et le futur sont deux chemins qui finiront par se croiser. Et seule notre connaissance tirée des leçons de la vie demeure le pont qui nous permettra de traverser, et de marcher vers notre but sans répéter nos erreurs.» *«Les conflits et les blocages ne surviennent qu'à cause de notre refus de laisser le passé mourir afin de céder la place au présent en nous ouvrant à de nouvelles idées.»* *«En effet, le présent et le futur sont comme le jour et la nuit qui se disputent infiniment les espaces du temps. Quand nous y ajoutons le passé et son fardeau, nous retardons notre destinée.»*

Voici venu le moment de vous plonger dans une source de sagesse infinie, qui deviendra probablement votre nouveau code de la vie. Car le passé est une école, un livre de souvenirs et un guide pour nous aider à franchir les barrières invisibles qui jonchent le chemin de la vie.

«Si les batailles n'existaient pas, nos victoires seraient sans importance. Cependant, si le combattant n'a aucune connaissance pour vite remporter la victoire, sa souffrance peut s'éterniser.»

«Par contre, peu importe ce à quoi vous faites face, si vous avez une pure volonté de réussir accompagnée de bons actes et de détermination, vous ferez de chaque jour de votre vie un soleil qui brille à jamais; et ce, même dans les pires circonstances de la vie.»

«Voici le moment de relever notre ultime défi pour que les choses changent, car ce n'est qu'en renonçant à nos rêves, que nous donnons raison à ceux qui pensent que nous ne pouvons pas les réaliser.»

EULOGE EKISSI

Relevez dès aujourd'hui votre ultime défi

«Certaines de nos batailles ne sont pas censées durer. Mais, c'est notre ignorance des stratégies pour vaincre qui les prolonge. Cependant, le succès dans la prière a une clé que si vous la découvrez, votre vie se transformera à jamais. «Vivre sans apprendre, c'est grandir sans mûrir.»

EULOGE EKISSI

«Il n'y a pas pire ennemi de notre triomphe que l'ignorance. Non seulement elle nous pousse à faire de mauvais choix, mais aussi, elle nous fait vivre dans un monde qui n'est pas le nôtre. C'est ainsi que l'ignorance détruit notre destinée et nous rend esclaves de nos propres choix.» Alors, découvrez les secrets qui vous permettront de vaincre, avec des enseignements et points de prière hors du commun que vous trouverez dans ce livre. Si vous avez encore le courage de poursuivre vos rêves quoiqu'il arrive, vous aurez des chances de les réaliser malgré vos erreurs. En dépit des circonstances, vous pourrez encore réécrire votre histoire, si vous avez la volonté de braver la tempête pour atteindre vos objectifs.

«Dès lors, souvenez-vous que la seule chose qui vous permettra de vous relever après chacune de vos chutes pour rester accroché à votre rêve est le désir de réussir, peu importe les obstacles à franchir.»

EULOGE EKISSI

Chaque instant de notre vie, nos échecs, nos défaites et difficultés ne viennent que pour nous donner l'occasion de repartir sur de bonnes bases. En fait, un fruit qui tombe de l'arbre n'a jamais échoué. Parce que, par cette chute, Dieu lui donne l'occasion de renaître. Ainsi, nos chutes, nos erreurs, et échecs, nous donnent l'occasion de corriger nos choix. Voici le moment de transformer votre vie, car en changeant nos habitudes, nous changeons de vie et transformons notre destinée.

«Alors, ne gâchez pas votre existence à vivre dans le rêve de quelqu'un d'autre, car chacun rendra compte à Dieu, de ce qu'il a fait de ses dons et talents ici-bas»

EULOGE EKISSI

Se créer un moment pour réussir

«Un miracle que nous provoquons vient plus vite qu'une solution que nous attendons.»

EULOGE EKISSI

À vrai dire, il n'y a pas de meilleur moment pour agir, excepté celui que nous créons nous-mêmes par nos pensées, nos choix et nos actes pour saisir de nouvelles opportunités. Alors, ne choisissons pas de mourir pour des choses que nous pouvons contrôler et surmonter par la prière, car même si Dieu est fidèle à ses promesses, il n'existe aucune destinée pour une personne qui fait de mauvais choix. La destinée d'une personne étant le plan de Dieu pour elle, elle (la personne) doit donc la découvrir afin d'entreprendre des démarches qui lui permettront de la réaliser. Tel est le but de ce livre : vous aider à tracer votre chemin et prier pour atteindre vos objectifs.

«À mon humble avis, un ancien n'est pas nécessairement un vieillard aux cheveux blancs, mais celui qui connaît déjà le chemin sur lequel l'on rêve de marcher.»

EULOGE EKISSI

Un chemin déjà tracé

«*Prenez conseil auprès des anciens, car leurs yeux ont vu passer le cours des années et leurs oreilles se sont prêtées au rythme de la vie. Même si leur conseil vous déplait quelque peu, prêtez-y attention.*»

KHALIL GIBRAN, 1883-1931

«*Quand on est plongé dans un livre, on n'entend pas l'oiseau qui chante. C'est ainsi quand nous parvenons à découvrir le but de notre existence et décidons de le poursuivre avec persistance et amour; plus rien ne nous empêche de travailler pour libérer notre potentiel pour la réalisation de notre plus beau rêve. Libérer notre potentiel, c'est accomplir ce pour quoi nous sommes nés. Être en mesure d'accomplir ce pour quoi nous sommes nés, c'est réaliser notre destinée. Lorsque cette heure glorieuse durant laquelle ce plan divin appelé destinée naît en nous sous forme d'idée sonne, plus rien ne compte pour nous plus que le défi que nous relevons afin d'écrire notre nouvelle histoire.*» «*Une bonne idée annonce l'heure de notre changement. Elle frappe aux portes de nos pensées quand notre heure de passer de la stagnation à l'élévation sonne. Alors, décidons de changer notre histoire, car, il n'y a rien qui détruise nos chances plus qu'une mauvaise décision au bon moment.*»

EULOGE EKISSI

31

Offrez ce livre à quelqu'un que vous aimez, et vous l'aiderez à découvrir comment activer son potentiel pour transformer sa vie. Comme Wayne Dyer l'a si bien dit : «Tant que vous cherchez le bonheur pour vous-même, toujours il vous échappera. Et ce n'est qu'en le cherchant pour les autres, que vous le trouverez. Le pouvoir de votre intention vous permet d'aller là où votre destinée vous appelle. Attendre le bon moment est la meilleure façon d'échouer. Mais, quand vous changez votre façon de regarder les choses, les choses que vous regardez changent.»

WAYNE DYER, 1940-2015

«Chercher des petits avantages empêche la réalisation des grandes choses, car, les grandes choses ne craignent pas l'épreuve du temps.»

CONFUCIUS

«Je ne cherche pas à comprendre pour croire, mais je crois afin de comprendre, car je crois ceci, à moins que je ne croie, je ne comprendrai pas.»

ANSELME DE CANTERBURY

La clé du succès

Selon moi, la clé du succès que certains d'entre ceux qui rêvent de la grandeur ignorent est l'imagination. Sans celle-ci, nulle ne peut transformer sa vie. De toute évidence, toute personne qui manque d'imagination, manque de transformation. Tout comme un village dont le chef et les habitants manquent d'imagination manque de développement, une nation dont les dirigeants manquent d'imagination, manque de progrès et d'innovation. Pareillement, un peuple qui manque d'imagination reste à l'état primitif et déteste la science du changement.

Le manque d'imagination est la cause du manque de solution pouvant permettre aux êtres humains de régler certains problèmes. La raison pour laquelle le style de vie de certaines personnes ne change jamais et les force à vivre avec de vieilles habitudes du passé est leur manque d'imagination pour transformer leur vie.

Sans contredit, c'est par l'imagination que les hommes transforment chaque jour notre monde par la grâce de Dieu ; et c'est aussi par elle qu'ils l'améliorent et l'amènent à la perfection. Sans l'imagination, une personne vit dans la stagnation, puisqu'elle manque d'idées pour se tirer d'affaire afin de marcher en toute liberté sur le chemin qu'empruntent ceux qui, par leur imagination, découvrent la clé de la porte qui donne accès aux choses secrètes permettant à une personne de créer une nouvelle destinée.

En réalité, sans leur imagination, Thomas Edison, Henri Ford, Napoléon Hill et bien d'autres personnages que le monde entier célèbre aujourd'hui n'auraient pas pu écrire une nouvelle histoire et créer de nouvelles choses dont nous nous servons de nos jours. Sur ces entrefaites, plutôt que de créer des universités du savoir, je préfère que l'on crée des écoles d'imagination pour faire de cette terre un monde meilleur où les idées ne manqueront pas aux personnes souffrantes pour sortir de leurs difficultés.

EULOGE EKISSI

AVIS AU LECTEUR

Lorsque les problèmes viennent frapper aux portes de la vie des êtres humains, il n'y a que les gens de vision parmi eux qui comprennent que ce sont leurs miracles, leurs opportunités, percées et témoignages qui frappent à leurs portes. Tout comme il fallait que Goliath se présente pour que David soit couronné, derrière chaque adversité, se cache notre miracle. Car il n'y a pas de victoire sans combat. Alors, seule notre intention de faire de chaque situation difficile que nous traversons un témoignage servant à réveiller l'esprit des gens aux cœurs abattus donnera naissance à notre nouvelle destinée. Retenez bien que pendant l'utilisation de ce livre, il se produira toutes sortes de choses que le diable provoquera pour vous empêcher d'aller jusqu'au bout de sa mise à profit. Par contre, en analysant très bien ces choses, vous comprendrez que «*derrière chaque couche de terre se trouve un trésor caché que vous découvrirez, si vous avez le courage de creuser. Cela veut dire que, si vous prenez le courage de surmonter l'adversité, vous obtiendrez votre miracle.*»

«*Dès lors, si une bataille vient frapper aux portes de votre vie, sachez que c'est une victoire qui attend d'être remportée, une couronne qui attend d'être méritée, ou une nouvelle histoire qui attend d'être écrite.*» «*Toutefois, quiconque fuit une bataille derrière laquelle se cache la clé de sa destinée fuit la solution à ses problèmes.*»

«*Chaque fois que nous abandonnons nos objectifs face aux épreuves, non seulement nous développons l'habitude de fuir les batailles de la vie, mais aussi nous manquons l'opportunité de donner naissance à notre destinée.*» C'est pour cela que chaque fois que notre heure de percée sonne, chaque fois que Dieu décide de nous élever, ou chaque fois que le moment arrive pour que nos chaînes de stagnation tombent, ou encore chaque fois que les choses doivent nécessairement changer, une nouvelle et plus grande bataille s'offre à nous pour nous permettre de mériter notre place dans la vie. Et seul notre choix de la mener ou de fuir déterminera la suite de notre vie.

«Si vous n'avez ni l'audace ni le courage de vous lever pour combattre afin que les choses changent, vous n'aurez pas la chance de vous lever pour parler dans un lieu où seuls les vainqueurs s'expriment.»

EULOGE EKISSI

ᏇᎳᎧ

NE JAMAIS RENONCER

Tout comme lorsqu'un étudiant ne réussit pas à son examen, il ne passe jamais en classe supérieure, toute personne qui ne parvient pas à gagner sa bataille, qui est aussi un examen de la vie, reste à jamais dans la même classe en menant chaque jour une vie médiocre pour avoir un diplôme sur lequel il sera marqué «raté» à la fin de sa mission terrestre. Supposons que cette personne ne s'ouvre pas les yeux pour comprendre qu'avancer ou reculer dans la vie dépend de nos victoires ou échecs face aux batailles quotidiennes que nous menons, sa vie ne changera pas. Échouer ou progresser dans la vie dépend aussi de notre ignorance ou connaissance des réponses aux nombreuses questions que la vie nous pose chaque jour. En effet, chaque jour de notre vie naît un nouveau défi pour nous permettre d'ouvrir de nouvelles portes d'opportunités. À nous de remporter le nôtre. C'est pour cela que ce livre a été conçu pour vous donner des stratégies de prière pouvant vous permettre de vaincre les batailles de la vie. Et seule son application avec foi et détermination vous donnera un résultat rapide, si vous décidez de ne jamais renoncer jusqu'à votre victoire. Voici venue l'heure de tracer votre propre chemin, car il est bon de vivre dans le rêve de quelqu'un d'autre comme beaucoup d'entre nous qui n'avons pas eu le courage de créer leurs propres destinées le font, mais la réalité est qu'ils finissent par se réveiller sans avoir réalisé leurs ambitions. Comme bien d'autres manuels de prières ou d'enseignement, ce livre ne fonctionne que par la foi, le respect des lois divines, et l'application des principes et des règles que vous y trouverez.

«Une bataille évitée n'est pas remportée. Quand elle nous rattrape, elle devient plus grande.»

EULOGE EKISSI

«Avancer ou reculer dans la vie dépend de nos victoires ou échecs face aux batailles quotidiennes que nous menons.»

EULOGE EKISSI

PRÉFACE

Paroles de sagesse

«Notre inquiétude permet à notre pire cauchemar devenu réalité. Toute personne qui a la foi en Dieu et espère en de bonnes choses ne verra que des choses vertueuses dans sa vie. Si de par nos pensées, nous pouvons créer l'image de notre destinée, tout ce que nous décidons d'en faire l'image dominante de nos pensées, devient finalement notre réalité. Dès lors, à moins que l'image de notre monde intérieur ne change, le résultat de notre monde extérieur restera le fruit de nos pensées futiles. Pourtant, nous avons reçu de Dieu, le pouvoir de créer un Nouveau Monde défini par nos propres règles, au travers des pensées positives disant que nous avons des chances de réussir là où d'autres ont échoué, car avec Dieu tout est possible à celui qui croit».

«L'ignorance est le premier obstacle que chacun doit surmonter avant qu'il ne commence à marcher sur le chemin spirituel.»

BALTHASAR MORALES

«La délivrance ne s'obtient que par la connaissance; elle seule brise les liens de l'esprit, elle seule conduit à la béatitude»

CICÉRON

LES IDÉES CRÉATIVES

«Une bonne idée annonce l'heure de notre changement. Elle frappe aux portes de nos pensées quand notre heure de passer de la stagnation à l'élévation sonne. Cependant, seuls les élus

parviennent à comprendre son langage parce qu'ils ont reçu de Dieu, le don de voir ce que d'autres ne voient pas et d'entendre ce que d'autres n'entendent pas.»

EULOGE EKISSI

De temps autre, notre imagination peut donner naissance à une idée qui nous rapportera des millions de dollars, si nous comprenons nos idées, et travaillons pour les matérialiser, étant donné que les idées ont une puissance transformatrice et sont source de créativité. Elles ne viennent vers nous que, lorsque le moment de réécrire notre histoire arrive. Néanmoins, quand nous ne comprenons pas leur sens, cela veut dire que nous n'avons pas réussi à comprendre les différentes leçons que la vie nous a enseignées. Parce que chaque leçon de la vie nous donne l'occasion de faire d'une bonne idée, la chance de saisir une nouvelle opportunité, afin de créer ce pour quoi nous sommes nés.

«Ne pas être en mesure de comprendre pourquoi Dieu nous donne une idée créative, c'est ignorer que notre heure de percée et d'évolution a sonné.»

EULOGE EKISSI

FRANCHIR NOS BARRIÈRES

Il est important de savoir que toute confrontation à une épreuve ou à un obstacle cache une victoire. En fait, derrière toutes les barrières spirituelles et physiques se trouve un Nouveau Monde qui attend d'être découvert, ou une nouvelle vie que nous pourrons vivre, si nous avons le courage de franchir ces barrières invisibles disposées sur notre chemin par les forces du mal, pour nous empêcher d'atteindre nos destinées prophétiques. Très régulièrement, quand nous sommes sur le point de franchir nos limites pour découvrir ou accomplir notre vraie vocation, commence l'opposition. Par contre, le fait de comprendre pourquoi nous faisons face à l'adversité à certains moments de notre vie nous permet d'accepter le combat, et de persister jusqu'à la victoire. De ce fait, ne renoncez pas à votre rêve parce que les choses deviennent difficiles ; mais, battez-vous pour le réaliser afin que le chagrin et le regret ne soient pas votre quotidien dans votre vieillesse.

INTRODUCTION

LE COURAGE ET LA FOI

Pour atteindre notre objectif, nous devons **avoir le courage et la foi.** En réalité, seuls le courage et la foi nous permettent de marcher vers le but de notre existence. Quand nous les perdons, nos rêves n'ont plus de sens, et nous ne croyons plus en notre capacité à réaliser notre but sur terre. Quand nous décidons parfois de sacrifier toute notre vie à travailler pour aider les autres à réaliser leurs rêves en oubliant que nous avons aussi une destinée, notre vie perd sa vraie valeur. Il n'est pas mauvais de travailler pour d'autres personnes, d'autant plus qu'il faut toujours commencer quelque part avant de progresser dans la vie. Pourtant, beaucoup d'hommes oublient que certaines périodes de leur vie sont transitoires, et perdent tout leur temps sur des choses qu'ils sont supposés utiliser comme un tremplin pour atteindre leur but sur terre. Du coup, ils perdent une importante partie de leur existence qui ne sera plus rattrapée. Souvent, notre travail n'est que quelque chose de temporaire que Dieu nous donne pour trouver les moyens pouvant nous aider à accomplir notre vraie destinée. Mais, certains préfèrent faire une carrière dans un domaine supposé être un passage temporaire pour leur progrès. C'est pourquoi, malgré leurs dons, talents ou intelligence, beaucoup de gens parmi nous sacrifient leur destinée pour vivre le rêve de quelqu'un d'autre. Ce livre vous permettra de trouver la force et le courage pour réaliser votre véritable rêve afin de devenir qui vous voulez être dans la vie.

«En effet, être en mesure de convertir notre vision en rêve, et parvenir à passer du rêve à la réalité, c'est libérer notre potentiel.»

EULOGE EKISSI

Trouver la force et le courage pour utiliser nos dons et talents, avoir la motivation pour surpasser nos faiblesses et arriver à voir le meilleur qui réside en nous afin de l'amener à la manifestation, c'est activé notre potentiel. Ce livre vous permettra de trouver la force et les idées infaillibles aux épreuves du temps, pour atteindre ce but.

RESTER FOCALISÉ

«Quel que soit la tempête ou le vent qui souffle contre vous, restez focalisé sur vos objectifs; car, pour prendre de l'altitude, il faut toujours expérimenter des turbulences.»

EULOGE EKISSI

Si vous voulez de la stabilité pour aller plus loin dans la vie, vous devez accepter d'affronter vos turbulences jusqu'à la victoire. Toutefois, si vous perdez courage, Dieu ne sera plus avec nous, puisque le courage et la foi sont les seules choses qui nous connectent à son trône. Comme je l'ai déjà dit un peu plus haut, chaque percée vient avec un nouveau défi. Quand il n'y a pas de défi dans notre vie, cela veut dire qu'il n'y a pas de nouvelle porte de percée qui soit prête à s'ouvrir à nous. Cependant, nous pouvons créer certaines circonstances pour pousser Dieu à nous bénir, en priant et en poursuivant une nouvelle vision. Décider de poursuivre nos rêves avec résolution, c'est se promettre de ne jamais abandonner, quels que soient les obstacles, jusqu'à la victoire totale ; et c'est en cela que nous parviendrons à braver les barrières, peu importe leur grandeur, et à réaliser ces rêves qui nous tiennent tellement à cœur. *«Rêver en passant à l'action est encore la meilleure façon de montrer aux autres ce que nous voulons dans la vie.» «En effet, tant que nous parlons sans agir et prenons des décisions sans les appliquer, nos rêves restent des illusions et nos paroles sont vaines.»* Voici mon meilleur exemple dans la vie : un homme qui prêche par l'action. Parce que quand nous passons à l'action, nous concrétisons deux fois plus vite nos désirs par rapport à celui ou celle qui parle beaucoup sans agir.

Et c'est ce qui, de nos jours, anéantit la vie de certaines personnes, d'autant plus que de nombreux rêves irréalisés risquent de finir au cimetière, leurs auteurs refusant de passer à l'action pour leur donner vie. Alors, après avoir analysé les raisons qui poussent certaines personnes à s'asseoir pour rêver sans agir, à prendre des décisions sans les appliquer et à faire des projets sans jamais passer à l'action, au lieu de travailler afin de les réaliser, «*j'ai conclu que ce qui manque à tous ceux qui ont échoué ou ne progressent pas dans la vie, n'est nullement le désir de réussir, mais plutôt la passion nécessaire pour rester accrocher à leur rêve jusqu'à sa réalisation, la motivation pour continuer à croire en leur vision même quand les choses deviennent difficiles, le courage pour avancer malgré les obstacles, et l'inspiration pour avoir les idées pouvant leur permettre de vite sortir de leurs difficultés.*»

C'est pour cela que ce livre a été écrit : pour pousser le lecteur à surpasser ses limites et offres des idées lui permettant de passer à l'action, en plus des points de prières pour vaincre l'oppression maléfique en toutes circonstances. Par conséquent, ce livre vous prépare à vaincre et non à échouer. Il vous prépare à diriger votre vie afin de ne pas vous laisser influencer par les circonstances que d'autres personnes créent. De plus, il vous permet de découvrir votre vrai potentiel et vous offre des secrets pour l'activer afin de provoquer votre miracle.

«Quand nous passons à l'action, nous concrétisons deux fois plus vite nos désirs par rapport à celui ou celle qui parle beaucoup sans agir.»

EULOGE EKISSI

42

CHAPITRE 1

Le but de ce livre

Éphésiens 5 V10.12 «*Examinez ce qui est agréable au Seigneur; V11 et ne prenez point part aux œuvres infructueuses des ténèbres, mais plutôt condamnez-les. V12 Car il est honteux de dire ce qu'ils font en secret;*»

Actes 26 V18 «*Afin que tu leur ouvres les yeux, pour qu'ils passent des ténèbres à la lumière et de la puissance de Satan à Dieu, pour qu'ils reçoivent, par la foi en moi, le pardon des péchés et l'héritage avec les sanctifiés.*»

Ce livre a pour but de dévoiler le mode opératoire des forces des ténèbres, pour vous apprendre à faire des prières prophétiques pouvant vous permettre d'ouvrir de nouvelles portes d'opportunités. Alors, ne laissez personne vous distraire durant sa lecture et l'application des stratégies et des prières que vous y trouverez. En 2006, j'avais acheté un livre intitulé *La pauvreté doit mourir*. Il renfermait des secrets et points de prières dont j'avais besoin pour sortir des difficultés que je traversais à cette époque-là. Pourtant, pendant plus de six mois, je n'avais ni le courage ni la force de le lire. Un jour, après avoir eu la force d'âme de le lire, je suis allé le reprendre à celui à qui je l'avais remis. Ensuite, après l'avoir lu et appliqué les recommandations qui s'y trouvaient, certaines choses qui étaient longtemps restées bloquées dans ma vie, ont commencé à se débloquer et à progresser.

Comme la parole de Dieu nous le dit en *Jean 8 V31.32* : *«Et il dit aux Juifs qui avaient cru en lui : si vous demeurez dans ma parole, vous êtes vraiment mes disciples ; V32 vous connaîtrez la vérité, et la vérité vous affranchira.»*

Selon la parole du Seigneur, nous pouvons être libres dans la mesure où nous découvrons la vérité. Mais, cette vérité, nos ennemis ne sont pas prêts à nous laisser la connaître, raison pour laquelle ils nous éloignent de ceux qui peuvent nous aider à sortir de nos problèmes, en endurcissant nos cœurs contre le réalisme. C'est pour cela que de nombreuses personnes traversent des moments difficiles, mais rejettent toujours les bons conseils pouvant les aider à avancer dans la vie. C'est d'ailleurs pour cette raison que l'ennemi combat cette vérité ; il s'active à nous maintenir dans l'ignorance afin de prolonger notre servitude. En effet, l'une des raisons pour lesquelles certains ont peu de connaissances et ne trouvent pas de solution à leurs difficultés est qu'ils ne se cultivent pas et ne méditent pas sur ce qu'ils traversent, pour mieux découvrir les stratégies de l'ennemi qu'ils combattent nuit et jour par la prière. Cependant, beaucoup de gens comprennent, mais ignorent ce qu'il faut faire. Effectivement, même si certaines personnes parviennent à voir des choses en songe, l'ennemi fait en sorte qu'ils ne parviennent pas à appliquer la bonne formule de prière pouvant leur permettre de briser le mal qui est entré dans leur vie.

❧

LES QUATRE ÉTAPES À SUIVRE POUR UNE DÉLIVRANCE COMPLÈTE

Afin de réparer les dommages causés par les attaques de l'ennemi et de récupérer ce qu'il nous a volé, nous devons demander à Dieu de nous révéler l'origine de nos problèmes. Le manque de connaissances en ce qui concerne les quatre étapes à suivre pour faire une délivrance complète «dont je parlerai plus largement dans mon prochain livre,» est la cause des nombreux échecs dans le combat spirituel que certaines personnes mènent. Si nous prêchons la théorie sans enseigner la pratique aux enfants de

Dieu, ils ne sauront pas comment se délivrer. De nombreux livres traitent théoriquement de la délivrance, mais peu donnent des stratégies pratiques par lesquelles nous pouvons rappeler les miracles perdus à la suite de l'attaque de l'ennemi que nous avons subie. C'est pourquoi beaucoup de chrétiens continuent de briser des malédictions qui n'existent plus dans leur vie, parce qu'ils l'ont déjà fait sans le savoir.

Jean 8 V35.36 déclare : *«Or, l'esclave ne demeure pas toujours dans la maison ; le fils y demeure toujours. V36 Si donc le Fils vous affranchit, vous serez réellement libres».*

Comme vous venez de le constater, les Écritures saintes disent que, si le fils nous affranchit, nous serons réellement libres. Pourtant, chaque jour, nous voyons des gens combattre et chasser des démons qui ne sont plus dans leur vie depuis longtemps. Toutefois, n'ayant pas encore été en mesure de récupérer le miracle perdu, ou étant toujours dans la souffrance, pour eux, cela justifie que l'esprit est toujours là, quoique ce ne soit pas le cas.

∽o∾

COMPRENDRE LE SENS DE LA DÉLIVRANCE

Chasser simplement un démon ne restaurera pas vos miracles. Après l'avoir chassé, vous devez prier pour redonner vie à ce que ce démon a tué dans votre vie. Vous devez aussi prier pour rappeler vos miracles que l'ennemi a convoqués dans son camp et prophétisés pour vous ouvrir de nouvelles portes. Combattre l'ennemi sans prier pour la restitution de ce qu'il a volé montre que beaucoup n'ont pas encore compris les quatre étapes à suivre pour faire une vraie délivrance afin d'être restaurés. Si Dieu nous a donné le pouvoir d'arracher, nous devons l'appliquer afin de récupérer tout ce que l'ennemi nous a volé. Cependant, quand une personne passe son temps à combattre sans prier pour planter et établir de nouvelles choses dans sa vie par des prières prophétiques, elle a toujours l'impression de tourner en rond ou de prier en vain.

Il est écrit en **Ésaïe 45 V19** : *«Je n'ai point parlé en cachette, dans un lieu ténébreux de la terre; je n'ai point dit la postérité de Jacob : cherchez-moi vainement! Moi, l'Éternel, je dis ce qui est vrai, je proclame ce qui est droit.»*

Jérémie 1 V10 *déclare : «Regarde, je t'établis aujourd'hui sur les nations et sur les royaumes, pour que tu arraches et que tu abattes; pour que tu ruines et que tu détruises, pour que tu bâtisses et que tu plantes.»*

LE BUT DE L'ENNEMI

N'oubliez pas que quand le diable nous attaque et se présente dans nos songes, c'est pour un but précis. Et si nous prions pour briser les mauvais rêves qui révèlent ses œuvres en ignorant la vraie raison de son apparition et les dégâts qu'il est venu causer, nos prières risquent de ne jamais porter fruit. Si nous prions pour repousser une force en oubliant qu'elle est venue pour nous fermer les portes de notre percée, même si cette force a été expulsée de notre vie, tant que nous ne prions pas pour rouvrir ces portes d'opportunités qu'elle est venue nous fermer, le problème ne sera pas entièrement réglé, et ces portes resteront toujours fermées. Dans le combat spirituel que nous menons à travers la prière, l'on ne reçoit que ce qu'il demande. Alors, ne faisons pas les mêmes erreurs que font de nombreuses personnes qui croient bien faire, et prient en vain depuis des années. Le fait que Dieu sache de quoi nous avons besoin ne justifie pas qu'il nous l'accordera sans que nous demandions. Par le fait, celui ou celle qui veut recevoir quelque chose de la part du Seigneur, doit apprendre à le lui demander. Comme un sage l'a bien dit : *« une bouche fermée est une destinée fermée. »*

Aussi bien que nous le savons tous, la seule condition pour recevoir est de frapper pour ouvrir après avoir cherché et trouvé, et demander ensuite pour recevoir. C'est pour cela que de nombreux chrétiens qui ont foi en Dieu et attendent que le miracle tombe du ciel mènent une vie misérable. Du moins, c'est ce que l'on peut dire ; sinon, que pouvons-nous dire d'autre d'une personne qui rêve et ne va pas travailler pour réaliser son rêve ou de ceux qui parlent sans agir ? Que pensez-vous d'une personne qui croit en Dieu, mais n'a pas assez confiance en elle-même pour se décider, espérant tout de même réussir avec l'aide de Dieu ? Voici pourquoi plusieurs sont en retard dans la vie et se racontent de petits mensonges chaque jour pour se consoler, en disant que c'est le temps de Dieu pour les bénir qui n'est pas encore arrivé. N'oublions donc pas que notre temps n'arrive que, lorsque nous prenons conscience de comment chercher pour trouver, comment frapper pour que l'on nous ouvre, et comment demander après que l'on nous ait ouvert.

Matbieu 7 V7.8 *«Demandez, et l'on vous donnera ; cherchez, et vous trouverez ; frappez, et l'on vous ouvrira.» V8 «car quiconque demande reçoit, celui qui cherche trouve, et l'on ouvre à celui qui frappe.»*

—⚊—

COMMENT FAIRE USAGE DE LA CONNAISSANCE

Après avoir acquis la connaissance, il nous faut la sagesse et l'intelligence pour l'appliquer, étant donné qu'une bonne connaissance mal appliquée donne toujours un mauvais résultat. Le manque de la bonne méthode pour l'application des trois principes, méthode consistant à **chercher,** à **frapper** et à **demander pour recevoir,** freine de nombreuses personnes, puisque le succès d'une personne se résume en ces trois mots. Pourtant, si l'un des trois est bien compris et qu'un autre est mal appliqué, les choses resteront toujours à moitié faites, et les objectifs ne seront pas atteints. Si la majorité des chrétiens prient et n'avancent pas dans leur vie malgré les promesses de Dieu les concernant, c'est tout simplement parce qu'ils n'accomplissent pas les étapes de quatre principes pour faire une délivrance complète. *«Ces étapes consistent à prier pour connaître la raison des attaques de l'ennemi, à combattre pour détruire ses œuvres, à annuler ses programmes et à prier pour ramener ce qu'il nous a volé.»*

Beaucoup d'entre ceux qui prient ont déjà vaincu l'ennemi par leurs prières sans le savoir ; c'est tout simplement parce qu'ils n'ont pas eu la sagesse de lui reprendre ce qu'il leur a volé qu'ils n'ont pas encore eu la percée qu'ils désirent. Vous devez donc prier pour reprendre tout domaine de votre vie que l'ennemi contrôle.

Vous devez aussi prophétiser pour la résurrection et la restauration de ce qui a été tué, détruit ou endommagé par ses attaques en vous adressant à l'Esprit de Dieu. En méditant très bien le livre d'*Ézéchiel 37 V7.9*, vous comprendrez les étapes qu'ont suivies les ossements desséchés pour être complètement restaurés.

Voici comment il avait procédé :

Étant conduit par Dieu, Ezekiel avait d'abord prophétisé pour que ces ossements desséchés et dispersés se rassemblent. Vous devez donc prier pour ordonner à vos biens dans le camp de vos oppresseurs de se rassembler et de revenir dans votre vie.

Ensuite, il a prophétisé pour que les Ners de ces ossements soient restaurés.

(Notez bien que les Ners représentent des liens de ralliement et les points de connexion entre les articulations, la chaire et les os.) Autrement dit, ces Ners représentent les différentes connexions que nous établissons et les liens que nous tissons entre nos semblables et nous. En effet, il ne peut y avoir de relation amoureuse, amicale ou relation d'affaires que, lorsqu'un lien est établi. Par contre, s'il se brise, cette relation prend fin. Alors, si ceux qui, en réalité, doivent vous aider ne veulent rien attendre de vous, il se peut que la connexion divine que Dieu a établie entre eux et vous selon sa promesse en *Esaïe 46 V9.11* est été coupée. Si, vous êtes dans ce cas, vous devez donc prier pour la restauration de cette connexion, en déclarant des paroles prophétiques pour la rétablir.

Voici deux exemples à suivre :

1. Je prophétise que toute personne prédestinée a joué un rôle important dans là l'accomplissement de ma destinée, et qui a été expulsé de ma vie pour les forces des ténèbres, reçoit la puissance du Saint-Esprit et revient investir dans ma vie, au nom puissant de Jésus-Christ !

2. Je prophétise que toute source de bénédiction et d'opportunités qui m'avait été ouverte par mon Dieu, et qui a été fermée par les forces de la sorcellerie, est rétablie, et activée au nom puissant de Jésus-Christ !

Les enseignements que vous venez de lire à propos de la connexion divine peuvent vous paraître irréels, mais, sachez que quoique vous désiriez acquérir sur cette terre, il existe toujours une personne qui doit vous l'accorder avant que vous puissiez l'obtenir. Et s'il se trouve une barrière spirituelle entre vous et cette personne divinement choisie par Dieu, pour vous épauler et aider à atteindre vos buts, vos chemins risquent de ne jamais se croiser, et vos désirs ne se réaliseront pas non plus.

LA DÉCONNEXION SPIRITUELLE

Pour avoir été spirituellement déconnectées des partenaires qui leur sont destinées, certaines femmes cherchent leur âme sœur depuis des années, mais en vain. De même, pour avoir été déconnectés de leurs sources d'opportunités, certains hommes cherchent des gens de bonne volonté pour investir dans leurs projets ou pour les aider à surmonter leurs difficultés, mais n'en trouvent pas. Alors, si tout semble bloquer dans votre vie, sans que vous sachiez ce qui ne va pas, vous devez analyser votre vie afin de trouver une solution.

Voyons ce qui s'est passé après que les Ners eurent été restaurés :

Après avoir rassemblé les ossements desséchés, Ezekiel prophétisa pour qu'il y ait de la chaire et la vie. Ainsi, pour que vos bénédictions soient restaurées, vous devez apprendre à faire des prières prophétiques pour le donner vie. Parfois, c'est le manque de connaissances pour faire de bonnes prières pouvant nous permettre de rétablir, rappeler, programmer, activer nos miracles qui fait que certaines prophéties nous concernant tardent à se réaliser. Alors, vous devez apprendre à maîtriser les principes et règles de la manifestation des promesses divines, afin d'éviter de prendre de l'âge, sans profiter de ce Dieu vous a promis.

Sur ces entrefaites, si nous voulons que nos prières nous apportent des résultats rapides, nous ne devons pas seulement nous contenter de combattre pour détruire les œuvres de l'ennemi. En revanche, nous devons prier pour la restauration, la reprogrammation et la réactivation de ce qu'il a détruit, prophétiser pour établir de nouvelles connexions divines, et prier pour ouvrir de nouvelles portes en suivant les quatre étapes énumérées ci-dessus.

Ézéchiel 37 V8.10 *«Je regardai, et voici, il leur vint des nerfs, la chair crût et la peau les couvrit par-dessus ; mais il n'y avait point en eux d'esprit.» V9 «Il me dit : Prophétise, et parle à l'esprit ! Prophétise, fils de l'homme, et dit à l'esprit : Ainsi parle le Seigneur, l'Éternel : Esprit, viens des quatre vents, souffle sur ces morts, et qu'ils revivent ! » V10 «Je prophétisai, selon l'ordre qu'il m'avait donné. Et l'esprit entra en eux, et ils reprirent vie, et ils se tinrent sur leurs pieds : c'était une armée nombreuse, très nombreuse.»*

∽o∾

AVOIR DES IDÉES TRANSFORMATRICES

En lisant ce livre inspiré par l'esprit de Dieu, cela vous donnera des idées qui changeront votre vie. Comme je l'ai déjà dit, une bonne idée annonce l'heure de notre changement. Elle frappe aux portes de nos pensées quand notre heure de passer de la stagnation à l'élévation sonne. Mais pour avoir cette idée, nous devons demander à Dieu de nous aider. Souvent, le diable nous pousse à devenir pessimistes et à rester accrochés à nos vieilles habitudes; mais, son but est de nous empêcher de progresser. C'est pourquoi certains se retrouvent dans l'impasse et refusent de demander de l'aide parce qu'ils pensent avoir la réponse à leur problème, quoique leurs efforts ne portent pas des fruits.

Proverbes 1 V31.33 *«Ils se nourriront du fruit de leur voie, et ils se rassasieront de leurs propres conseils.»* *V32 «Car la résistance des stupides les tue, et la sécurité des insensés les perd;»* *V33 «mais celui qui m'écoute reposera avec assurance, Il vivra tranquille et sans craindre aucun mal.»*

2 Timothée 3 V15.17 *«Dès ton enfance, tu connais les saintes lettres, qui peuvent te rendre sage à salut par la foi en Jésus-Christ.»* *V16 «Toute Écriture est inspirée de Dieu, et utile pour enseigner, pour convaincre, pour corriger, pour instruire dans la justice,»* *V17 «afin que l'homme de Dieu soit accompli et propre à toute bonne œuvre.»*

✍

POURQUOI CERTAINS RÉSISTENT-ILS À LA VÉRITÉ ?

Souvent, quand une personne résiste à la vérité, ce n'est pas sa faute. C'est le diable qui lui bouche spirituellement les oreilles, les yeux et prend le contrôle de sa conscience pour la pousser à suivre une mauvaise direction. N'étant plus maîtresse d'elle-même, quand on lui dit une chose pouvant l'aider, elle la balaie du revers de la main. Le jour, elle parvient à faire un songe pouvant l'aider à découvrir la cause de sa souffrance, de sa stagnation et de ses malheurs, elle oublie ce qu'elle a vu à son réveil. Même si elle parvient à s'en souvenir, le diable veillera à ce qu'elle ne prie pas sérieusement pour mettre fin à sa souffrance. Seul Dieu, par sa grâce, pourra lui donner la force nécessaire pour prier, si elle s'humilie pour lui demander de l'aide. Ce livre dévoile les secrets concernant les malédictions et comment celles-ci peuvent être placées sur une personne pour la maintenir dans l'échec et dans la pauvreté, pour vous aider à découvrir la bonne façon de prier pour vous libérer. L'une des raisons pour lesquelles le Seigneur Jésus dit que nous prions mal est que nous tentons de régler des problèmes dont nous ne connaissons pas la source avec des prières souvent mal formulées.

Jacques 4 V2.3 *« Vous convoitez, et vous ne possédez pas ; vous êtes meurtriers et envieux, et vous ne pouvez pas obtenir ; vous avez des querelles et des luttes, et vous ne possédez pas, parce que vous ne demandez pas. V3 Vous demandez, et vous ne recevez pas, parce que vous demandez mal, dans le but de satisfaire vos passions. »*

LA DÉCOUVERTE

Dans la suite de votre lecture, vous aurez la définition exacte de la malédiction et ses effets. Vous saurez de même comment celle-ci peut être lancée contre une personne de sorte que vous sachiez si les difficultés auxquelles vous faites face en ce moment sont dues à des malédictions provenant des forces du mal et de vos actes. Prier en ignorant la cause d'un problème que nous tentons de régler nous fait gaspiller notre énergie et notre temps. Je compare une malédiction inconnue à une corde attachée à la cheville d'une personne que vous aimeriez détacher pour la libérer. Vous devez d'abord savoir que ce n'est pas en secouant ou en tirant cette corde que vous parviendrez à la détacher. En agissant ainsi, vous risquez de la resserrer ou de la rendre plus difficile à détacher. C'est ainsi que ceux qui essaient de se libérer de leurs problèmes spirituels en ignorant leurs sources finissent par rendre la situation plus difficile plutôt que de l'améliorer.

Au lieu de secouer la corde en question, la meilleure chose à faire dans ce but pour la détacher serait de retracer le cheminement qu'elle a suivi pour être attachée afin de la détacher. Ainsi, vous parviendrez à libérer la personne attachée sans trop faire d'effort et sans lui faire mal. Certains diraient que l'on peut juste prendre un couteau ou un objet tranchant pour couper cette corde. C'est possible ; mais en ce qui concerne les problèmes spirituels tels que la malédiction, le sortilège, l'oppression maléfique, l'envoûtement et les autres choses par lesquels les forces maléfiques maintiennent les gens dans la servitude, la façon de nous y prendre doit changer. Quand nous ne formulons pas bien nos prières, les attaques spirituelles peuvent avoir un impact dévastateur à long terme. Il est donc très important de connaître leur origine avant de nous engager dans la prière. Sinon, nous aurons l'impression que Dieu ne nous écoute pas quand nous l'invoquons. Pour avoir une bonne réponse, il faut faire la bonne prière. Alors, si vous parvenez à découvrir ce qui permet à une malédiction ou à un envoûtement d'exister dans votre vie, vous pourrez enfin faire des prières prophétiques pour l'inverser. Il est indispensable de faire des prières de combat, mais en ce qui concerne les malédictions, la prophétie demeure le meilleur remède.

❧

VAINCRE NOS FAIBLESSES

«Nos faiblesses prolongent notre lutte et tuent notre destinée»

Parfois, ce qui retarde les gens n'est rien d'autre que leurs propres faiblesses. En effet, les péchés tels que la colère, les rapports sexuels hors mariage, leurs mensonges, leurs trahisons, leur égoïsme, leur rancune ou leur désobéissance aux lois divines en général font partie des choses qui donnent le pouvoir aux forces du mal de maintenir certains dans l'échec. Pour ce genre de problème, la solution ne se trouve nulle part ailleurs qu'entre leurs propres mains. Si le péché est ce qui empêche Dieu d'écouter les prières d'une personne, cette celle-ci est la seule qui détient les clés de sa libération ; et ce n'est qu'en délaissant ses péchés qu'elle se libérera de son mal.

Proverbes 8 V35.36 «*Car celui qui me trouve a trouvé la vie, et il obtient la faveur de l'Éternel.*» *V36* «*Mais celui qui pèche contre moi nuit à son âme; tous ceux qui me haïssent aiment la mort.*»

LA VIOLENCE DANS LE COMBAT SPIRITUEL

Pour conclure cette section, je vous conseille d'adopter l'attitude d'Élie, de Jacob et de Josué, qui ont touché le cœur de Dieu, le même jour à cause de leur détermination et de leur violence dans la prière. N'oubliez pas aussi que Dieu est saint, et que quiconque veut l'approcher pour l'invoquer doit l'être aussi. On ne fait pas tomber le feu ou la pluie sans la violence, la persistance et l'autorité comme l'ont fait Élie, Jacob et Josué. Si nous voulons que nos chaînes se brisent, nous devons adopter l'attitude de Paul et Silas après avoir cherché à connaître la source de nos problèmes. Certaines situations tenaces ne demandent que des prières violentes pour être réglées. Toutefois, quand nos prières ne sont pas adaptées aux problèmes que nous rencontrons, le ciel ne nous donne aucun signe de victoire.

Mathieu 11 V12 «*Depuis le temps de Jean-Baptiste jusqu'à présent, le royaume des cieux est forcé, et ce sont les violents qui s'en emparent.*»

ÊTRE DÉTERMINÉ

Actes 16 V25.26 «*Vers le milieu de la nuit, Paul et Silas priaient et chantaient les louanges de Dieu, et les prisonniers les entendaient.*» *V26* «*Tout à coup il se fit un grand tremblement de terre, en sorte que les fondements de la prison furent ébranlés; au même instant, toutes les portes s'ouvrirent, et les liens de tous les prisonniers furent rompus.*»

Si vous voulez secouer le royaume des ténèbres, vous devez être déterminé comme Jacob, Élie, et Josué. Si certaines choses tardent à se manifester, c'est tout simplement parce que beaucoup font de faibles prières sans autorité. C'est pour cela que les esprits causant leur malheur refusent de leur obéir. Quand une personne manque d'autorité durant ses prières, sa vie manque de miracle et de percée. Le Seigneur Jésus parlait aux esprits impurs avec autorité et les démons lui obéissaient, contrairement à ses disciples qui luttaient avec des situations en vain. En méditant le livre des actes des apôtres, vous verrez qu'ils n'avaient commencé à manifester la puissance de Dieu qu'après avoir reçu la visite du Saint-Esprit, car il n'y a pas de délai dans la parole de Dieu. Et si nous l'appliquons comme Dieu l'attend de nous, le résultat ne se fera pas attendre.

Ézéchiel 12 V28 *«C'est pourquoi dis-leur : Ainsi parle le Seigneur, l'Éternel : il n'y aura plus de délai dans l'accomplissement de mes paroles ; la parole que je prononcerai s'accomplira, dit le Seigneur, l'Éternel.»*

Ce qui fait tarder la réponse à nos prières est notre faiblesse ou la négligence de certaines situations durant les moments de nos supplications. Beaucoup croient qu'en jouant les victimes, Dieu aura pitié d'eux et ne se donnent pas assez de temps dans la prière. Cela peut marcher dans certains cas, mais pas pour tout le monde. Si vous faites face à une opposition tenace et que vous décidez de faire de petites prières plutôt que de prier avec sincérité et autorité, vous serez souvent déçu au point même de douter de l'existence de Dieu. En fait, sans la sincérité et l'autorité dans vos prières, aucune force des ténèbres ne se soumettra à vous, car il est écrit en ***Psaumes 145 V18 :*** *«L'Éternel est près de tous ceux qui l'invoquent, de tous ceux qui l'invoquent avec sincérité.»*

LES RUSES DU DIABLE

Si le diable règne sur beaucoup de personnes, c'est parce que celles-ci manquent de révélation concernant ses ruses, et de stratégies pour l'expulser. Par exemple : quand un couple ou une personne prie avec violence, le diable les attaque rarement. Par contre, quand le feu de Dieu n'existe pas dans la vie d'une personne, n'importe quel esprit peut s'emparer de son corps et y demeurer en toute liberté. Voilà pourquoi, les démons et les esprits causant les maladies et les problèmes se sentent confortables dans leur corps jusqu'à ce que ces personnes prient pour les expulser.

AVOIR LE ZÈLE

Romains 12 V11 *«Ayez du zèle, et non de la paresse. Soyez fervents d'esprit. Servez le Seigneur.»*

Selon le dictionnaire, zèle veut dire ardeur que l'on met pour servir une cause ou une personne. Sans ardeur durant la prière, il est souvent difficile de briser nos chaînes de captivité. Si le Seigneur Jésus s'est lui-même fait violence en jeûnant quarante jours et quarante nuits, cela montre l'importance de la persistance dans la prière. Pareillement, Paul et Silas ont prié avec violence et autorité pour briser leurs chaînes de captivité. Et si Jacob a aussi résisté à l'ange de Dieu jusqu'à sa victoire, c'est pour nous démontrer que si nous n'abandonnons pas le combat, Dieu finit par nous accorder ce que nous lui demandons. si nous agissons exactement comme sa parole nous le recommande.

Ésaïe 55 V11 *«Ainsi en est-il de ma parole, qui sort de ma bouche : elle ne retourne point à moi sans effet, sans avoir exécuté ma volonté et accompli mes desseins.»*

La parole de Dieu demande que nous soyons comme une lionne qui n'abandonne pas jusqu'à vaincre sa proie. Malheureusement, l'habitude de vite abandonner a fait que certains n'ont jamais pu réaliser leur vraie destinée. La lionne ne règne pas dans la forêt par sa douceur, mais par sa force. Et son autorité est proportionnelle à sa violence dans le combat. Alors, si vous voulez vite atteindre vos objectifs, vous devez exercer la violence durant vos prières.

Nombres 23 V24 *« C'est un peuple qui se lève comme une lionne, et qui se dresse comme un lion ; il ne se couche point jusqu'à ce qu'il ait dévoré la proie, et qu'il ait bu le sang des blessés. »*

COMMENT DIEU CHOISIT-IL SES ÉLUS ?

Pour choisir un leader, le Seigneur se fonde son attitude. En réalité, Dieu n'avait pas choisi David comme roi par hasard. Mais il l'a fait à cause de son attitude, de sa capacité à combattre les animaux sauvages et de sa facilité à diriger les autres. Car David était une personne déterminée et ne reculait en aucune circonstance. En lisant le livre de Psaumes qu'il a écrit, nous comprenons que toute sa vie a été une bataille. Néanmoins, quand nous refusons de mener notre bataille, notre destinée reste inaccomplie, puisque certaines choses ne se manifestent dans notre vie qu'après notre victoire. Et c'est l'une des raisons pour lesquelles David n'est devenu roi qu'après avoir vaincu Goliath et combattu toute sa vie pour faire les volontés de Dieu. Alors, pour choisir ses élus, Dieu ne sélectionne que des personnes déterminées pour établir la paix dans son royaume, afin d'amener son plan à la perfection. À la lumière de cette vérité, tant que certains ne se réveillent pas pour mener les combats de leur liberté, leur captivité ne prendra jamais fin.

Psaume 5 V11 *« Frappe-les comme des coupables, ô Dieu ! Que leurs desseins amènent leur chute ! Précipite-les au milieu de leurs péchés sans nombre ! Car ils se révoltent contre toi. »*

Psaume 68 V21.22 *« Dieu est pour nous le Dieu des déli-vrances, et l'Éternel, le Seigneur, peut nous garantir de la mort. » V22 « Oui, Dieu brisera la tête de ses ennemis, le sommet de la tête de ceux qui vivent dans le péché. »*

Psaume 68 V1.2 *«Dieu se lève, ses ennemis se dispersent, et ses adversaires fuient devant sa face.»* *V2 «Comme la fumée se dissipe, tu les dissipes; comme la cire se fond au feu, les méchants disparaissent devant Dieu.»*

Apocalypse 3 V14.15 *«Écris à l'ange de l'Église de Laodicée : Voici ce que dit l'amen, le témoin fidèle et véritable, le commencement de la création de Dieu :» V15 «Je connais tes œuvres. Je sais que tu n'es ni froid ni bouillant. Puisses-tu être froid ou bouillant! Parce que tu es tiède, et que tu n'es ni froid ni bouillant, je te vomirai de ma bouche.»*

L'AUTORITÉ DURANT LA PRIÈRE

Nous pouvons avoir une grande destinée; mais si nos prières sont sans énergie, elles ne feront qu'effleurer nos problèmes et ne nous aideront pas à ouvrir de nouvelles portes pour l'accomplir. Quand le Seigneur Jésus parlait aux démons, il le faisait avec autorité. Mais aujourd'hui, nous voyons des chrétiens qui murmurent plutôt que de prier avec autorité et ne couvrent leur paresse spirituelle et leur manque de zèle qu'avec de petites excuses en se justifiant sur le fait qu'un chrétien n'a pas besoin de trop prier pour avoir une réponse. Et comme le résultat ne ment pas, leur mauvaise philosophie de la vie spirituelle ne cause que leur ruine. Quoi qu'il advienne, si votre conception de la parole de Dieu est bonne, votre méthode de prière doit vous apporter de grands résultats. Cependant, si malgré votre croyance où votre foi ne produit aucun résultat, votre philosophie de la prière doit être erronée. Alors, changez-la, si c'est le cas, parce que, quand nous changeons notre façon de prier, les réponses que nous obtenons changent. ***Jacques 4 V2.3*** *«Vous convoitez, et vous ne possédez pas; vous êtes meurtriers et envieux, et vous ne pouvez pas obtenir; vous avez des querelles et des luttes, et vous ne possédez pas, parce que vous ne demandez pas.» V3 «Vous demandez, et vous ne recevez pas, parce que vous demandez mal, dans le but de satisfaire vos passions.»*

L'ENNEMI N'EST PAS IMBATTABLE

«Une mauvaise compréhension déforme toujours la réalité»

EULOGE EKISSI

Beaucoup de gens disent souvent que personne ne peut maudire celui que Dieu a béni. Cela est exact comme la parole de Dieu nous l'affirme d'ailleurs. Mais n'oublions pas que pour éviter que la malédiction n'affecte le peuple d'Israël lorsque Balaam le maudissait, Dieu a dû pousser Balaam à inverser les paroles en déclarant des bénédictions au lieu de la malédiction. Toutes les promesses que Dieu nous a faites ne s'accomplissent que par l'application de sa parole qui dit de demander pour recevoir. À ce moment-là, il est important que vous appreniez à inverser tout ce que l'on a déclaré contre vous. C'est pourquoi ce livre vise à vous apprendre à demander en prophétisant sur votre propre vie pour inverser tout ce qui peut nuire à votre succès. ***Deutéronome 23 V5*** *«Mais l'Éternel, ton Dieu, n'a point voulu écouter Balaam; et l'Éternel, ton Dieu à changer pour toi la malédiction en bénédiction parce que tu es aimé de l'Éternel, ton Dieu.»*

Je ne doute pas des promesses de Dieu, mais je voudrais juste dire que, même si Dieu a promis que toute arme forgée contre nous sera nulle et sans effet, et qu'une personne se met à nous maudire sans que nous fassions des prières pour annuler ses déclarations, ses malédictions nous affecteront tout de même. La mauvaise compréhension de la parole de Dieu est ce qui pousse certains à garder la bouche fermée en regardant l'ennemi anéantir leur vie, parce qu'ils pensent que Dieu combattra à leur place. Quand une personne ne décide pas d'ouvrir la bouche pour combattre l'ennemi, elle est toujours étonnée de vivre des difficultés bien qu'elle soit tout le temps à l'église, puisque sans avoir demandé, nul ne peut recevoir. L'ignorance n'est pas une excuse, car la parole de Dieu déclare en ***Jérémie 33 V3*** *«Invoque-moi, et je te répondrai; Je t'annoncerai de grandes choses, des choses cachées, Que tu ne connais pas.»*

***Jacques 1 V5.*7** *«Si quelqu'un d'entre vous manque de sagesse, qu'il la demande à Dieu, qui donne à tous simplement et sans reproche, et elle lui sera donnée. V6 Mais, qu'il la demande avec foi, sans douter; car celui qui doute est semblable au flot de la mer, agité par le vent et poussé de côté et d'autre. V7 qu'un tel homme ne s'imagine pas qu'il recevra quelque chose du Seigneur [...]»*

Il nous arrive de voir des gens qui craignent les forces des ténèbres et ont peur de prier contre elles pour ne pas avoir de représailles de leur part. Mais en réalité, ces puissances maléfiques ne sont pas imbattables. Les Écritures saintes nous disent dans le livre de ***1 Jean 4 V4*** *«Vous, petits enfants, vous êtes de Dieu, et vous les avez vaincus, parce que celui qui est en vous est plus grand que celui qui est dans le monde.»* Selon moi, ce qui rend l'ennemi puissant est notre ignorance de ses stratégies de combat, de ses manipulations et ruses. Tant que les stratégies de vos ennemis ne sont pas exposées, ils vous donneront toujours l'impression d'être plus forts que vous, même s'ils ne le sont pas.

«Dans un village où il n'y a pas d'artiste, même le plus mauvais chanteur devient une vedette.»

EULOGE EKISSI

Prenons l'exemple d'une personne qui pratique un sport de combat pour mieux comprendre ce que je tente de vous dire. Quand une personne qui pratique un sport de combat a une technique inconnue de ses adversaires, elle demeure imbattable jusqu'à ce qu'un jour, l'un de ses adversaires découvre son secret ou ses faiblesses pour la vaincre. Quiconque l'observera et exploitera ses faiblesses parviendra à lui reprendre son titre de champion. N'oubliez pas que derrière la victoire que vos ennemis ont eue sur vous dans le passé se cache leur défaite de demain. Et cette défaite ne surviendra que lorsque vous parviendrez à découvrir leurs façons d'agir et leurs faiblesses. Ainsi, vous pourrez mieux déjouer et détruire leurs opérations, plans, attaques et stratégies de manipulation. Ce livre vous donne les outils nécessaires pour avoir le contrôle entier sur votre vie. Mais quiconque veut l'utiliser doit avoir une foi inébranlable comme tous ceux qui, par ces stratégies de prière, ont transformé leur vie. Lorsque l'ennemi se rendra compte de votre transformation, il se lèvera contre vous pour vous remettre dans la servitude dont vous êtes sorti. Il tentera alors de toutes ses forces de vous détruire, de vous affaiblir ou de vous empêcher de continuer à prier. Sans même que l'on vous le dise, vous le saurez quand la confusion, la paresse et le découragement se lèveront pour vous accabler au seuil de votre miracle.

ॐ ॐ

LA CONFIRMATION DE VOTRE VICTOIRE

Lorsque nos prières touchent leurs cibles, la réaction des forces qui s'opposent à nous est immédiate. La tentation se lève aussitôt, les disputes éclatent et les attaques en rêves commencent. Cela n'est qu'un signe qui montre que nos prières touchent leurs cibles et dérangent nos oppresseurs. C'est la raison pour laquelle ils répliquent. Malheureusement, beaucoup arrêtent de prier quand les choses prennent de telles tournures. La prière est un combat ; et si vous l'engagez de manière efficace, l'ennemi réagira. Une force maléfique ne vous attaquera pas si vous ne représentez pas un danger pour elle. Alors, ne voyez plus les attaques spirituelles et les cauchemars comme étant de mauvaises choses. Tout autrement, voyez-les comme une alerte qui vous annonce que l'ennemi s'est levé parce que vous êtes sur le point de faire une grande percée.

ॐ

POURQUOI FAISONS-NOUS DES CAUCHEMARS ?

Job 33 V14.15 *«Dieu parle cependant, tantôt d'une manière, tantôt d'une autre, et l'on n'y prend point garde. V15 Il parle par des songes, par des visions nocturnes, quand les hommes sont livrés à un profond sommeil, quand ils sont endormis sur leur couche.»*

Nous savons tous qu'il n'est pas facile de dormir quand l'on fait des cauchemars. Mais, ces cauchemars démontrent que l'ennemi ne nous contrôle pas encore et cherche à le faire. Autrement, si l'ennemi avait déjà le contrôle de notre vie, il ne se dérangerait plus chaque nuit ou chaque jour pour venir nous attaquer. Sur ces entrefaites, sachez que, si l'ennemi continue de vous harceler, c'est parce que vous avez encore des chances de réaliser de grandes choses qui le dérangent. C'est pour cette raison qu'il continue de s'agiter. Et ses agitations continueront jusqu'à ce que vous fassiez des prières intenses pour l'arrêter. Cependant, si vous abandonnez, vous risquez de perdre ce combat. L'objectif de l'ennemi en faisant opposition à vos prières est de faire en sorte que vous ne lui échappiez plus jamais. Alors, sachez que tous les rêves que vous ferez du début à la fin de l'application des prières de ce livre peuvent être des messages de Dieu concernant votre situation pour mieux vous éclairer ou vous diriger dans le combat.

LE REFUS DE CHANGER

Souvent, quand nous demandons à certains de prier, ils répliquent aussitôt qu'ils prient déjà. Pourtant, malgré leurs prières, les choses ne font qu'empirer. C'est une preuve que leurs prières ne sont pas souvent efficaces et qu'ils doivent les changer s'ils veulent sortir de l'impasse.

«Résister au changement nous fait rejeter dans notre ignorance la solution, qui mettra fin à certaines de nos difficultés.»

EULOGE EKISSI

Alors, que vous fassiez des cauchemars ou pas, n'arrêtez pas d'appliquer ces conseils. Faites les prières prophétiques que vous trouverez du début à la fin de ce livre jusqu'à ce que votre vie soit entièrement transformée, et que le résultat de vos prières se manifeste physiquement. Ne faites pas l'erreur de suspendre vos activités de prière quand les attaques et les mauvais rêves surviennent. N'oubliez pas que l'ennemi ne réagira pas si vos prières ne vous apportent rien.

Néanmoins, il vous attaquera si ce que vous faites risque de vous libérer de son emprise. Alors, soyez persistant quand l'adversité vous annonce que vous avez fait un bon choix.

Prière pour détruire le plan de l'ennemi

1. ***Ésaïe 59 V18.19*** «*Il rendra à chacun selon ses œuvres, la fureur à ses adversaires, la pareille à ses ennemis; il rendra la pareille aux îles.*» *V19* «*On craindra le nom de l'Éternel depuis l'Occident, et sa gloire depuis le soleil levant; quand l'ennemi viendra comme un fleuve, l'esprit de l'Éternel le mettra en fuite.*»

2. J'ordonne que tout ce qui a été programmé contre moi par la sorcellerie, et qui attend sa date d'accomplissement, d'être brisé et annulé, au nom de Jésus-Christ!

3. J'invoque le marteau pour briser et détruire toute chose dite et programmée contre moi et qui me fait faire de mauvais rêves, au nom de Jésus-Christ!

4. Que tout problème et toute maladie qui ont été plantés dans mon système par les forces des ténèbres, pendant que j'étais profondément endormi, soient brisés et détruits au nom de Jésus-Christ!

5. J'invoque les quatre vents de Dieu pour expulser tout pouvoir qui se présente dans mes rêves au seuil de mes percées, pour bloquer mes opportunités au nom de Jésus-Christ!

6. Que toutes choses programmées contre moi dans le soleil, le vent et la terre pour m'affecter lorsque j'entrerai en contact avec ces éléments soient brisées et annulées au nom de Jésus-Christ!

7. Je prophétise que tout ce que je toucherai en cette journée réussira et je trouverai faveur et grâce aux yeux de ceux qui m'entourent, au nom puissant de Jésus-Christ, amen!

CHAPITRE 2

Destiné à vaincre

Josué 1 V5 «*Nul ne tiendra devant toi, tant que tu vivras. Je serai avec toi, comme j'ai été avec Moïse; je ne te délaisserai point, je ne t'abandonnerai point.*»

Psaume 1 V3.4 «*Il est comme un arbre planté près d'un courant d'eau, qui donne son fruit en sa saison, et dont le feuillage ne se flétrit point : tout ce qu'il fait lui réussit.*» *V4* «*Il n'en est pas ainsi des méchants : ils sont comme la paille que le vent dissipe.*»

«*Échouer, c'est avoir la possibilité de recommencer de manière plus intelligente.*»

HENRY FORD

«*Certaines victoires ne deviennent difficiles à obtenir que lorsque nous refusons de changer nos stratégies de combat.*»

EULOGE EKISSI

Proverbes 24 V15.17 «*Ne tends pas méchamment des embûches à la demeure du juste, Et ne dévaste pas le lieu où il repose; V16 Car sept fois le juste tombe, et il se relève, Mais les méchants sont précipités dans le malheur. V17 Ne te réjouis pas de la chute de ton ennemi, Et que ton cœur ne soit pas dans l'allégresse quand il chancelle.*»

La parole de Dieu nous dit que sept fois le juste tombera, et sept fois il se relèvera. Cela veut dire que, peu importe le nombre de nos échecs, Dieu nous donnera à nouveau la possibilité de réparer les choses. Si par exemple, le mariage n'a pas fonctionné, il donnera une autre occasion à la personne concernée. Si nous tentons de faire une affaire pour réaliser notre propre destinée, et que les choses ne fonctionnent pas comme prévu, il nous donnera la chance de réessayer jusqu'à ce que nous atteignions nos objectifs. Cependant, lorsqu'une personne ne comprend pas la cause de son échec ou de celle de sa chute pour changer de stratégie et qu'elle tente de recommencer les choses, elle échouera de nouveau.

AVOIR UNE VISION CLAIRE

«Lorsque la pensée de l'esprit prend le dessus, le regard physique devient obturé. Mais tant que cet événement ne prend pas place dans notre fond intérieur pour rediriger notre esprit vers de nouvelles idées, nos stratégies demeureront les mêmes, et le scénario de notre vie ne changera pas pendant des décennies.»

EULOGE EKISSI

Il n'y a rien qui tue plus notre destinée que de répéter les erreurs pour espérer un meilleur résultat. En effet, tant que la graine que l'on sème ne change pas, la récolte reste la même. De même, pour celui ou celle qui lutte pour réussir, mais ne change pas sa façon d'agir, le résultat de ses efforts sera le même.» «N'échoue de la même façon que celui ou celle qui refuse de changer de stratégie.»

EULOGE EKISSI

Certaines de nos batailles ne sont pas censées durer, mais c'est notre ignorance de ce qui doit être fait qui les prolonge. L'ignorance est probablement ce qui pousse les gens à répéter

66

les mêmes fautes ; *« car faute de révélations et de nouvelles idées, l'on se sent obligé d'appliquer les mêmes stratégies, même si celles-ci ne fonctionnent pas. »* Quand nous ne changeons pas notre façon de voir les choses, les solutions que nous appliquons à celles-ci ne varient pas non plus. Pour être réaliste, nous devons savoir qu'un changement ne vient pas du fait d'entrer dans une nouvelle année, mais il arrive à partir du moment où nous parvenons à ajouter quelque chose de positif à notre vie ; car un changement peut être positif ou négatif en fonction de nos choix. Mais quand il est négatif, notre vie régresse. Alors, quand le résultat de ce que nous faisons nous montre de manière indiscutable la vraie réalité des choses, persister ne nous apportera pas le changement que nous espérons. En revanche, un seul changement dans nos stratégies peut transformer notre vie entière.

Méditation

« Une bonne idée qui nous permet de régler nos problèmes est comme une lumière qui survient dans l'obscurité de nos pensées pour nous indiquer le chemin de notre vraie destinée. Pour que cette lumière germe en nous, nous devons la chercher en changeant de stratégie, car quiconque demeure dans le même village toute sa vie, ne découvre jamais de nouvelles choses, et c'est ainsi quand nous restons accrochés à nos vieilles habitudes. »

Observez les feuilles d'un arbre tomber et repousser, et vous comprendrez que la vie est faite de changements. Observez ces vieilles branches tombées et de nouvelles repousser, et vous saurez que les vieilles choses nous empêchent de grandir. Comparez sa taille d'hier à celle d'aujourd'hui, et vous comprendrez que sa croissance résulte des différents changements qu'il a apportés à sa vie. Si certains arbres abandonnent toutes leurs feuilles en automne pour faire pousser de nouvelles à la fin de l'hiver, les hommes doivent apprendre à changer de stratégies face aux obstacles pour que leur renaissance survienne. Souvenez-vous que si le scénario de notre vie n'a pas changé depuis tant d'années, c'est tout simplement parce que nous n'avons pas pris le temps de le réécrire.

En effet, quand nous refusons de nous ouvrir à de nouvelles idées pouvant nous apporter la transformation, nous vivons dans la stagnation et le futur ne s'ouvre pas à nous. Sans changement, notre présent ressemble à notre passé. Cependant, si nous souhaitons vivre de nouvelles expériences dans le futur, nous devons commencer par changer notre vision des choses.

Romains 12 V2 nous dit : *«Ne vous conformez pas au siècle présent, mais soyez transformés par le renouvellement de l'intelligence, afin que vous discerniez quelle est la volonté de Dieu, ce qui est bon, agréable et parfait.»*

BRISER LES VIEILLES HABITUDES

«Les vieilles habitudes empêchent la naissance de nouvelles choses»

Une personne qui refuse de changer ses habitudes en s'accrochant aux vieilles idées a de fortes chances de ne pas trouver de réponses aux questions que l'avenir lui posera. Dans le passé, j'étais incrédule comme bon nombre de personnes qui croient tout savoir et qui pensent toujours avoir raison. Mais après plusieurs années de souffrance, je me suis finalement rendu compte que ce que certains appellent leur philosophie de la vie n'est que le fruit de quelques petits mensonges avec lesquels ils se sont convaincus au fil du temps. Car lorsque nous échouons malgré nos croyances, nous n'avons pas d'autre choix que d'admettre que nous nous sommes trompés. Souvent, c'est après avoir gâché presque toute notre vie à nous faire des illusions que nous finissons par comprendre que nos croyances ne sont que des erreurs de compréhension, que celles-ci ne produisent pas le résultat attendu. Beaucoup sont frappés par cette réalité, mais refusent de l'admettre de peur de dire à ceux qui les entourent qu'ils avaient raison depuis le début. Cependant, certains audacieux prennent leur courage en main pour reconnaître leurs faiblesses afin de demander de l'aide, pendant que d'autres prennent conscience de leurs erreurs, mais décident tout de même de continuer leur chemin.

«En vous efforçant de vouloir faire fonctionner votre bateau de destinée en dehors de l'eau, vous risquez de l'endommager.»

EULOGE EKISSI

Quelles que soient nos conceptions de la vie, souvenons-nous que le changement demeure la seule clé pour apporter une transformation immédiate. Depuis le jour où j'ai appris que personne n'en sait assez pour se permettre d'être pessimiste toute ma vie a été renouvelée ; et c'est ce que je désire de plus cher pour quiconque veut aller encore plus loin dans la vie et devenir plus grand afin de vivre des aventures merveilleuses.

COMMENT CRÉER UN NOUVEAU MONDE ?

Créer un Nouveau Monde pour demain devient impossible sans une prise de conscience des défauts qui existent dans le monde d'aujourd'hui. La prise de conscience est le moment où l'obscurité fait place à la lumière dans nos pensées, et l'ignorance fait place à la connaissance dans notre intelligence. Mais quand nous passons trop de temps dans l'ignorance ou dans l'obscurité, elle devient une seconde nature qui force de nombreuses personnes à se sentir à l'aise même dans la pauvreté.

Jérémie 17 V7.8 déclare : *«Béni soit l'homme qui se confie dans l'Éternel, et dont l'Éternel est l'espérance!» V8 «Il est comme un arbre planté près des eaux, et qui étend ses racines vers le courant ; il n'aperçoit point la chaleur quand elle vient, et son feuillage reste vert ; dans l'année de la sécheresse, il n'a point de crainte, et il ne cesse de porter du fruit.»*

Comme la parole de Dieu nous le démontre, une personne peut être comme un arbre planté près d'une source d'eau et qui grandit sans cesse. En un mot, l'être humain n'a pas été créé pour avoir des limites ni pour vivre une vie médiocre à cause des limites qu'il s'impose lui-même. Alors, pour créer un Nouveau Monde, nous devons renouveler nos habitudes et changer certaines choses dans notre vie. Le manque de changement fait que nos années se ressemblent sans un renversement possible pouvant encourager d'autres personnes à suivre notre exemple. Cependant, nous pouvons encore grandir afin d'aller plus loin dans la vie si nous le voulons. Par contre, cela doit commencer par le changement de nos objectifs et l'humilité, pour reconnaître nos faiblesses afin de les corriger. Car sans humilité pour reconnaître que nous avons des faiblesses et des limites pour nous ouvrir aux changements, nous devenons tous comme des verres pleins qui ne servent à rien. Voici d'où vient la chute de nombreuses personnes qui ne trouvent plus faveur aux yeux de Dieu. L'orgueil, la fierté et le sentiment de tout savoir et d'avoir tout eu dans la vie crée leur limitation.

Éphésiens 4 V22.24 : *«[...] eu égard à votre vie passée, du vieil homme qui se corrompt par les convoitises trompeuses,» V23 «à être renouvelés dans l'esprit de votre intelligence,» V24 «et à revêtir l'homme nouveau, créé selon Dieu dans une justice et une sainteté que produit la vérité.»*

Quand nous refusons de nous ouvrir au changement et à de nouvelles idées, nous fermons les portes à notre transformation : «***En tous et pour tout, notre perfection demande l'humilité pour reconnaître nos faiblesses et défauts afin d'entreprendre des démarches en vue de nous améliorer.***» Dès lors, si notre façon de prier nous empêche d'avoir une réponse au point où nous avons perdu foi en Dieu, pourquoi ne pas la changer ? Car nous sommes destinés à vaincre par des paroles et des prières bien formulées qui touchent la destinée pour vaincre la source de nos problèmes. En effet, à partir du moment où une personne sait bien prier, la solution à ses problèmes est entre ses mains. Par contre, quand elle ne sait pas comment briser les malédictions, annuler les mauvais rêves ou réactiver son courage, sa motivation, elle se débat pour avancer, mais ses efforts la ramènent toujours au point de départ.

Découvrez si vous êtes un candidat ou une victime

Les Écritures saintes nous disent en *Osée 4 V6* que le peuple de Dieu est détruit parce qu'il lui manque la connaissance. Mais aujourd'hui, nous pouvons insinuer que certaines personnes ne souffrent pas à cause de leur ignorance. Pour être encore plus précis, je pense que beaucoup d'individus souffrent à cause de leur négligence et de la paresse quoiqu'elles sachent que leur vie n'avance pas. Nous pouvons qualifier une personne d'ignorante quand elle ne sait pas de quoi elle souffre. Cependant, quand une personne est consciente de son état, quand elle fait des rêves qui lui montrent clairement que quelque chose ne tourne pas rond et qu'elle n'entreprend pas de démarche pour se délivrer, elle devient candidate à sa souffrance, et non une victime, parce que l'ignorance n'est pas une excuse. Nous avons tous reçu de Dieu, le pouvoir de créer un Nouveau Monde du fait de nos paroles. Quelles que soient les circonstances, nous pouvons toujours provoquer un bouleversement en notre faveur par le pouvoir de la prière, car il est écrit : *«La mort et la vie sont au pouvoir de la langue; quiconque l'aime en mangera les fruits.», **Proverbes 18 V21**. La prière, c'est quand nous parlons à Dieu ; Mais nos songes, nos intuitions et nos pressentiments sont les moyens par lesquels Dieu nous parle. Pourtant, malgré les nombreux avertissements de Dieu à l'égard des choses à venir, beaucoup n'y prêtent pas attention et deviennent des candidats à la souffrance. N'oublions donc pas que Dieu ne révèle que les choses résolues qui sont sur le point d'arriver pour nous prévenir, de sorte qu'en prenant des précautions après avoir reçu ses révélations, nous évitions d'être des candidats à la souffrance et des victimes des complots maléfiques.

Le livre de *Job 33 V13.15* décrit la façon dont Dieu communique avec nous comme suit : *«Veux-tu donc disputer avec lui, parce qu'il ne rend aucun compte de ses actes?»* V14 *«Dieu parle cependant, tantôt d'une manière, tantôt d'une autre, et l'on n'y prend point garde.»* V15 *«Il parle par des songes, par des visions nocturnes, quand les hommes sont livrés à un profond sommeil, quand ils sont endormis sur leur couche.»*

LA PUISSANCE DE LA PROPHÉTIE

«La prophétie nous donne le pouvoir de vaincre, là où la prière a échoué»

EULOGE EKISSI

Lorsqu'en 2008, après cinq ans de souffrance, Dieu m'a accordé la grâce d'écrire des prières prophétiques qui ont transformé ma vie et changé toute mon histoire, j'ai enfin compris que le plus grand problème de l'être humain est de ne pas savoir ce qui cause son problème ou qu'il ignore comment, par la parole ou la prière, créer ce qu'il désire. Par contre, en découvrant comment l'ennemi nous donne secrètement des ordres pour nous forcer à prendre des directions contraires à celles que Dieu a prévues pour nous, nous comprenons de même que les malheurs d'un être humain ne résultent que des malédictions, des interdictions et des prophéties maléfiques que les forces du mal ou les hommes envoient contre lui. Il est vrai qu'une personne peut souffrir des conséquences de ses erreurs, mais aucune erreur ne peut survenir sans le concours d'une force dominatrice qui pousse les gens à faire de mauvais choix. Comme nous le savons tous, il n'y a jamais de fumée sans feu ; alors, je vous conseille de prendre toutes les dispositions pour forcer les choses à changer en votre faveur.

Ésaïe 8 V8.10 *«Il pénétrera dans Juda, il débordera et inondera, il atteindra jusqu'au cou. Le déploiement de ses ailes remplira l'étendue de ton pays, ô Emmanuel! V 9 «Poussez des cris de guerre, peuples! et vous serez brisés; prêtez l'oreille, vous tous qui habitez au loin! Préparez-vous au combat, et vous serez brisés; préparez-vous au combat, et vous serez brisés.» V10 «Formez des projets, et ils seront anéantis; donnez des ordres, et ils seront sans effet : car Dieu est avec nous.»*

EN QUOI CONSISTE LA PRIÈRE ?

La prière consiste à inviter des esprits positifs pouvant générer ce que l'on recherche. **Jean 6 V63** déclare que « *C'est l'esprit qui vivifie; la chair ne sert de rien. Les paroles que je vous ai dites sont esprit et vie.*» Les Écritures saintes nous disent que Dieu est esprit et que quiconque veut l'approcher doit le faire en esprit et en vérité. Le problème ne survient dans la vie d'une personne que, lorsqu'un esprit maléfique prend possession de son corps. Cependant, ces esprits diaboliques ne peuvent venir dans la vie de celle-ci sans avoir été invités, soit par une transgression des lois divines, d'un sorcier ou d'une personne qui a des connaissances mystiques. En fait, certains méchants individus qui travaillent pour le compte du diable ont des connaissances pour inviter des démons ou esprits maléfiques à venir agir contre une personne en faisant des rituels, des pratiques occultes ou en déclarant des paroles magiques que nous appelons enchantements. Cependant, nous pouvons aussi expulser ses esprits et les remplacer par d'autres qui nous apporteront le succès au lieu de la souffrance, comme la parole nous le démontre dans le livre d'**Ezéchiel 37 V9.10** que nous pouvons lire en ces mots *«Il me dit : prophétise, et parle à l'esprit! Prophétise, fils de l'homme, et dis à l'esprit : Ainsi parle le Seigneur, l'Éternel : Esprit, viens des quatre vents, souffle sur ces morts, et qu'ils revivent! V10 «Je prophétisai, selon l'ordre qu'il m'avait donné. Et l'esprit entra en eux, et ils reprirent vie, et ils se tinrent sur leurs pieds : c'était une armée nombreuse, très nombreuse.»*

C'est l'une des raisons pour lesquelles Dieu a dit à Ézéchiel de parler à l'Esprit pour pouvoir restaurer les ossements desséchés. Cela sous-entend que si nous voulons prier pour régler nos problèmes, nous n'avons qu'à invoquer un esprit contraire à celui qui nous impose le mal. Par exemple : nous devons invoquer l'esprit du mariage pour celui ou celle qui souffre du célibat et l'esprit de la richesse pour ceux qui souffrent de la pauvreté, etc. Car, sans la présence du pouvoir générateur qui est l'Esprit-Saint, il ne peut y avoir de miracle dans la vie d'une personne. C'est pour quoi **Ésaïe 34 V16** déclare : *«Consultez le livre de l'Éternel, et lisez ! Aucun d'eux ne fera défaut, ni l'un ni l'autre ne manqueront ; car sa bouche l'a ordonné. C'est son esprit qui les rassemblera.»*

※

COMMENT TRANSFORMER NOTRE VIE PAR LA PROPHÉTIE ?

Une parole prophétique est l'une des choses qui permettent à une personne de semer de nouvelles choses dans sa vie. **Proverbes 13 V2** *«Par le fruit de la bouche, on jouit du bien ; mais ce que désirent les perfides, c'est la violence.»* Comme vous le constatez, la parole nous précise que ce que désirent les perfides c'est la violence, ce qui veut dire qu'au lieu de créer de bonnes choses avec la parole, certains l'utilisent pour détruire. Voici ce qui justifie le fait que beaucoup sont sous le poids des malédictions et des sortilèges qui tenaillent leur vie depuis des années. Mais, nous pouvons inverser toutes ces malédictions de malchances en apprenant à déclarer des paroles positives de manière répétée, jusqu'à leur concrétisation. En vérité, l'une des merveilles que Dieu a accordées à l'être humain et dont beaucoup ne se rendent pas compte est la capacité de planter, d'appeler, et de prophétiser ce que l'on désire dans sa vie, et même de fixer la date de sa manifestation. Dès lors, en découvrant ce grand secret, vous comprendrez de même comment les forces du mal parviennent à programmer les accidents, les malheurs et la souffrance dans la vie des êtres humains.

Pourtant, vous pouvez, vous aussi, vous fixer un but et ordonner sa concrétisation à une date précise et voir cela se réaliser. Car, il écrit : ***Jérémie 1 V10*** *«Regarde, je t'établis aujourd'hui sur les nations et sur les royaumes, pour que tu arraches et que tu abattes, pour que tu ruines et que tu détruises, pour que tu bâtisses et que tu plantes.»*

Ésaïe 48 V12.13 *«Écoute-moi, Jacob! Et toi, Israël, que j'ai appelé! C'est moi, moi qui suis le premier, c'est aussi moi qui suis le dernier. V13 Ma main a fondé la terre, et ma droite a étendu les cieux : je les appelle, et aussitôt ils se présentent.»*

Proverbes 18 V20 *«C'est du fruit de sa bouche que l'homme rassasie son corps, c'est du produit de ses lèvres qu'il se rassasie. V21 La mort et la vie sont au pouvoir de la langue; quiconque l'aime en mangera les fruits. V22 celui qui trouve une femme trouve le bonheur; C'est une grâce qu'il obtient de l'Éternel.»*

À QUEL MOMENT DOIT-ON FAIRE DES PRIÈRES PROPHÉTIQUES OU DES PRIÈRES DE COMBAT ?

Si nous voulons constater l'efficacité d'un remède, nous devons l'associer à la maladie pour laquelle il a été conçu. La prière doit être aussi adaptée au problème que l'on vit. Dans certains cas, les gens n'ont pas nécessairement besoin de prières de combat, mais de prières prophétiques ou se repentir de leurs pêches. Et dans d'autres cas, ils doivent l'appliquer la violence de Paul et Sillas pour se libérer de leurs chaînes. Quand une personne se retrouve, par exemple, dans une situation où toutes ses vertus et potentiels ont été spirituellement étouffés et tués, elle doit prophétiser pour leur redonner vie et les réactiver. Si elle fait le contraire, elle n'applique pas les principes de guérison divine et ne pourra trouver gain de cause. ***Ezéchiel 37 V10*** *«Je prophétisai, selon l'ordre qu'il m'avait donné. Et l'esprit entra en eux, et ils reprirent vie, et ils se tinrent sur leurs pieds : c'était une armée nombreuse, très nombreuse.»*

LA PRIÈRE VIOLENTE

La prière violente n'est nécessaire que dans le combat spirituel. S'il y a des gens qui souffrent malgré leurs prières, selon moi, c'est parce que leurs prières ne sont pas adaptées à leurs situations. En observant la parole de Dieu, nous voyons que quand Paul et Silas voulaient briser leurs chaînes de captivité, ils ont eu recours à la prière violente. Quand le prophète Élie a voulu que la pluie tombe, il a prié avec insistance. Mais chaque fois que Dieu a voulu faire de nouvelles choses, il les a toujours programmées par une prophétie. Il en est de même pour l'ange de Dieu, qui avait déclaré à Sarah que dans une année, elle deviendrait mère, et cela s'était réalisé malgré son âge. Cela veut dire que peu importe le nombre de temps que les promesses de Dieu pour une personne sont restées inactives, une prophétie peut leur donner vie. Tel que de nombreux événements de notre temps actuel résultent de prophéties bibliques, le résultat de notre vie de demain peut aussi être le fruit de nos propres prières prophétiques d'aujourd'hui. Les Écritures saintes sont pourtant claires là-dessus et nous démontrent que c'est de sa propre langue qu'un être humain crée son malheur ou son bonheur. Pourtant, certains n'ont pas encore compris cette révélation, raison pour laquelle les promesses de Dieu ne s'accomplissent pas dans leur vie. En fait, quand les principes et les lois liés à la manifestation d'une promesse divine sont inversés, nos prières restent sans réponse. Cependant, en apprenant à faire des prières de combat quand il le faut et en prophétisant quand notre situation demande de prophétiser, nous pouvons éviter de souffrir avant d'obtenir ce que nous désirons, car «*quiconque connaît la bonne clé ne perd jamais de temps devant la porte.*»

EULOGE EKISSI

Sur ces entrefaites, si nous désirons réactiver, restaurer et replanter ce que l'ennemi a retiré de notre vie, nous devons apprendre à prophétiser. *Apocalypse 10 V1* *déclare : «Puis on me dit : Il faut que tu prophétises de nouveau sur beaucoup de peuples, de nations, de langues, et de rois.»*

CHAPITRE 3

Comment prier
pour avoir une réponse rapide

Matthieu 11 V12 *«Depuis le temps de Jean-Baptiste jusqu'à présent, le royaume des cieux est forcé, et ce sont les violents qui s'en emparent.»*

Luc 18 V1 *«Jésus leur adressa une parabole, pour montrer qu'il faut toujours prier, et ne point se relâcher.»*

La seule différence entre les serviteurs de Dieu d'autrefois et nous est que nous n'avons pas le même niveau de persistance et de détermination qu'ils avaient. Élie, Jacob, Moïse, Ézéchiel, Paul, Silas, le roi David, Anne, Esther et d'autres personnes, dont la Bible nous relate les faits, ont démontré une persévérance et une foi très rare de nos jours. Lorsque ces personnes entraient en prière, elles ne sortaient qu'après avoir obtenu une réponse favorable. Mais aujourd'hui, certaines personnes négligent leurs problèmes et interprètent mal la parole de Dieu. Nous voyons de nombreuses personnes qui ont des difficultés, mais qui ne prient pas jusqu'à l'obtention de leur victoire avant de passer à autre chose et se demandent pourquoi leur vie tourne en rond. Comme je l'ai déjà dit, beaucoup se justifient pour cacher leur manque de volonté. Selon moi, toutes ces choses ne sont que des excuses que le diable utilise pour les empêcher d'appliquer la bonne méthode de prière qui leur permettrait de regagner la liberté.

«Quiconque se cache derrière ses faiblesses plutôt que de les conquérir n'avance pas.»

EULOGE EKISSI

Avec Dieu, tout est possible ; mais quand nous prions mal, tout devient difficile. Il est vrai que le Seigneur Jésus a dit que lorsque nous prions, nous ne devons pas imiter les hypocrites qui pensent qu'à force de multiplier de vains mots, ils seront exaucés. Cela ne veut pas dire qu'un chrétien n'a pas besoin de prier longtemps avant d'avoir une réponse. *1 Thessaloniciens 5 V16.18* nous dit : *«Soyez toujours joyeux.»* *V17* *«Priez sans cesse.»* *V18* *«Rendez grâces en toutes choses, car c'est à votre égard la volonté de Dieu en Jésus-Christ.»* Dans ces conditions, souvenez-vous que Dieu ne se contredit jamais. C'est seulement quand nous ne tenons pas compte du contexte de l'application de ses promesses que tout va de travers. Comme nous venons de le voir un peu plus haut, les Écritures saintes nous recommandent de prier en tous lieux et en tout temps. Comment peuvent-elles préconiser encore de ne pas prier assez ? Malheureusement, en dehors de cet exemple, beaucoup d'autres promesses divines sont souvent mal comprises, raison pour laquelle leur application ne produit pas de résultat favorable. Quand le Seigneur nous demande de ne pas faire comme les hypocrites qui pensent qu'à force de multiplier de vaines paroles, ils obtiendront gain de cause, il fait référence aux gens qui pensent qu'à force de réciter des formules magiques, ils parviendront à obtenir quelque chose. Jésus nous demande de ne pas imiter les gens qui sont dans les sectes et dans les sociétés secrètes et qui pensent que le fait de réciter des paroles magiques, ou faire des incantations, leur procurera ce qu'ils désirent.

L'HISTOIRE DE JOSEPH

Voyons l'histoire de Joseph. Comme nous le savons tous, Joseph avait été vendu par ses propres frères et accusé à tort par la femme de Putiphar, et s'est finalement retrouvé en prison. Mais, Joseph était fidèle à Dieu malgré tout ce qu'il a vécu. S'il est passé du statut de prisonnier au statut de premier ministre, après plusieurs années de prières et de souffrances, cela ne veut nullement dire qu'il n'a pas eu besoin de prier beaucoup pour avoir ce miracle. Les gens qui reprochent aux enfants de Dieu de ne pas prier assez les rendent négligents au sujet de la prière et les empêchent d'atteindre leur but. C'est pour cela que depuis des années, beaucoup attendent un miracle qui tarde à venir, faute de compréhension des principes pouvant leur permettre de provoquer sa manifestation.

Luc 18 V1.8 *«Jésus leur adressa une parabole, pour montrer qu'il faut toujours prier, et ne point se relâcher.» V2 «Il dit : Il y avait dans une ville un juge qui ne craignait point Dieu et qui n'avait d'égard pour personne.» V3 «Il y avait aussi dans cette ville une veuve qui venait lui dire : Fais-moi justice de ma partie adverse.» V4 «Pendant longtemps il refusa. Mais ensuite, il dit en lui-même : Quoique je ne craigne point Dieu et que je n'aie d'égard pour personne, néanmoins, parce que cette veuve m'importune, je lui ferai justice, afin qu'elle ne vienne pas sans cesse me rompre la tête.» V6 «Le Seigneur ajouta : Entendez ce que dit le juge inique.» V7 «Et Dieu ne fera-t-il pas justice à ses élus, qui crient à lui jour et nuit, et tardera-t-il à leur égard?» V8 «Je vous le dis, il leur fera promptement justice. Mais, quand le Fils de l'homme viendra, trouvera-t-il la foi sur la terre?»*

Quand nous lisons la parole de Dieu, nous constatons qu'il nous est recommandé de prier en tous lieux et en tout temps sans relâche. En ce cas, n'oublions pas que prier sans relâche, c'est ne jamais abandonner la prière jusqu'à remporter la victoire. Si par exemple vous décidez d'aller dans une ville et que vous vous arrêtez en cours de route, vous ne verrez jamais la ville qui était votre objectif principal. C'est pareil quand nous décidons de prier pour obtenir quelque chose ou de poursuivre un rêve et que nous abandonnons sans avoir atteint notre objectif. «Sachez qu'on ne gagne pas une bataille en la mettant de côté.»

C'est pourquoi quand une personne ne se lève pas de manière résolue pour poursuivre son rêve jusqu'à le réaliser avant de se permettre le repos, elle ne réalise presque rien dans sa vie. **Proverbes 18 V9.10** *«Celui qui se relâche dans son travail Est frère de celui qui détruit.» V10 «Le nom de l'Éternel est une tour forte; Le juste s'y réfugie, et se trouve en sûreté.»* **Luc 18 V1** *«Jésus leur adressa une parabole pour montrer qu'il faut toujours prier, et ne point relâcher.»*

Luc 21 V36 *«Veillez donc et priez en tout temps, afin que vous ayez la force d'échapper à toutes ces choses qui arriveront, et de paraître debout devant le Fils de l'homme.»*

VAINCRE LES MENSONGES UNIVERSELS DU DIABLE

Lorsque je priais pour certaines personnes, en 2013, l'une d'entre elles vivant en Belgique m'avait dit que son pasteur lui avait dit qu'un chrétien n'a pas besoin de prier longtemps pour avoir une réponse favorable. Pourtant, en observant la vie de cette personne, elle traversait des moments difficiles au point qu'elle était incapable de subvenir à ses besoins. Si elle ne parvenait pas à régler ses difficultés malgré son raisonnement, c'est parce qu'elle refusait de changer ses habitudes et sa méthode de prière. La même chose est arrivée quand je priais pour une jeune femme à Montréal ; elle m'avait aussi sorti le même récit en disant que le Seigneur sait tout avant qu'on le lui demande et que l'on n'a pas besoin de prier beaucoup avant d'avoir une réponse. Cependant, à cause de sa mauvaise conception des principes de la prière, cette personne a eu de nombreuses difficultés au point d'avoir songé au suicide. Au Ghana, quand je priais pour un homme afin que Dieu l'aidât, ce dernier ne m'avait pas laissé terminer ma prière en déclarant qu'il ne priait pas en disant des paroles, et que selon lui, il faut tout simplement parler en langue et que Dieu fera le reste. La réalité est que cet homme, malgré ses nombreuses prières en langue, avait toutes les difficultés du monde au point qu'il n'arrivait pas à payer son loyer. «Cela est devenu un mensonge universel que de nombreux se répète chaque jour,» et c'est ainsi que le diable pousse les gens à s'autodétruire avec des mensonges sans leur donner la possibilité de comprendre qu'ils se trompent, jusqu'à ce qu'il soit trop tard. Quand nous abordons les gens au sujet de la prière, nous faisons souvent face à des personnes qui raisonnent sur la base des enseignements qu'elles ont reçus au préalable et refusent de s'ouvrir au changement. En revanche, la seule réalité qui leur échappe est que cette façon de voir les choses, qui semble être la base de leur foi, ne produit pas de bons résultats. Pour ma part, je crois qu'un enseignement ne mérite d'être adopté comme style de vie que, quand celui-ci produit de bons résultats.

RECONNAÎTRE LA VÉRITÉ

Parfois, il nous arrive de voir que lorsque nous sommes en train de prier à l'Église, certains se mettent à prier en langue avec des mots qu'ils ont appris et prétendent parler de la part de Dieu. Toutefois, sans le savoir ces personnes font comme ces hypocrites que le Seigneur Jésus nous recommande de ne pas imiter. Quand nous copions mal certaines choses, le résultat est toujours négatif et décevant. Souvent, en écoutant bien une personne qui parle, nous constatons que ce qu'elle dit n'a aucun sens et n'a rien à voir avec ce qu'elle traverse, vu qu'elle-même ne peut donner d'explications à ses prétendues paroles spirituelles. Mais quand l'Esprit de Dieu pousse une personne à parler en langue, ces paroles sont suivies d'une prophétie claire et nette. *Actes 16 V16.18* «*Comme nous allions au lieu de prière, une servante qui avait un esprit de Python, et qui, en devinant, procurait un grand profit à ses maîtres, vint au-devant de nous,*» V17 «*Et se mit à nous suivre, Paul et nous. Elle criait : ces hommes sont les serviteurs du Dieu très haut, et ils vous annoncent la voie du salut.» V18 «Elle fit cela pendant plusieurs jours. Paul fatigué se retourna, et dit à l'esprit : Je t'ordonne, au nom de Jésus-Christ, de sortir d'elle. Et il sortit à l'heure même.»*

Ce livre a pour but de vous apprendre certaines stratégies pouvant vous permettre de vaincre, mais aussi de reconnaître la vérité concernant certaines choses qui continuent de susciter la réflexion de nombreuses personnes. *«Quels que soient les mensonges et les ténèbres qui nous entourent, la vérité finit par apparaître comme un grain de lumière qui surgit dans l'obscurité.»*

EULOGE EKISSI

«Pourtant, quand nous demeurons trop longtemps dans les ténèbres, nous finissons par les accepter comme étant les seules réalités.»

EULOGE EKISSI

ÊTRE DIRIGÉ PAR L'ESPRIT

«Nous devons être dirigés par l'esprit et non inventer au nom de l'esprit»

Lorsqu'une personne parle en langue sans être sous l'onction de l'Esprit de Dieu, elle est juste en train de dire des paroles vaines. Si vous voulez mieux comprendre ce que je tente de vous dire, demandez à une personne qui vient juste de parler en langue de vous expliquer ce qu'elle vient de dire, et vous verrez qu'elle ne sera pas en mesure de vous donner d'explication. Toutefois, pour savoir si celui ou celle qui parle en langue est dirigé(e) par le Saint-Esprit, ses paroles sont très souvent suivies d'une prophétie claire et nette, comme je l'ai déjà dit. *«Alors, pour être dans la vérité, nous devons nous laisser dirigés par l'esprit et non inventer au nom de l'esprit.»* Voyons donc ce que la parole de Dieu nous dit au sujet de la langue spirituelle : ***1 Corinthien 14 V2.40 «En effet, celui qui parle en langue ne parle pas aux hommes, mais*** *à Dieu, car personne ne le comprend, et c'est en esprit qu'il dit des mystères.» V3 «Celui qui prophétise, au contraire, parle aux hommes, les édifie, les exhorte, les console. V4 «Celui qui parle en langue s'édifie lui-même; celui qui prophétise édifie l'Église». V5 «Je désire que vous parliez tous en langues, mais encore plus que vous prophétisiez. Celui qui prophétise est plus grand que celui qui parle en langues, à moins que ce dernier n'interprète, pour que l'Église en reçoive de l'édification.» V6 «Et maintenant, frères, de quelle utilité vous serais-je, si je venais à vous parler en langues, et si je ne vous parlais pas par révélation, ou par connaissance, ou par prophétie, ou par doctrines?» V7 «Si les objets inanimés qui rendent un son, comme une flûte ou une harpe, ne rendent pas des sons distincts, comment reconnaî- tra-t-on ce qui est joué sur la flûte ou sur la harpe?» V8 «Et si la trompette rend un son confus, qui se préparera au combat?» V9 «De même vous, si par la langue, vous ne donnez pas une parole distincte, comment saura-t-on ce que vous dites?»*

LA COMPRÉHENSION

«En parvenant à discerner les révélations par lesquelles le Seigneur tente de nous libérer de l'emprise de nos doutes, nous trouvons au même instant les réponses aux questions de la vie.»

EULOGE EKISSI

«Tous autant que nous sommes, devons apprendre à un moment donné à faire certains changements concernant notre philoso- phie de la vie, si celle-ci ne donne pas de résultat positif.» Quand un enseignement est bon, il produit un bon résultat, raison pour laquelle nous devons apprendre à nous ouvrir à de nouvelles idées et à ne pas avoir un esprit fermé si nous voulons avoir la possibilité de vivre de nouvelles expériences, qui changeront le cours de notre vie. Il peut arriver que certaines personnes ne demandent pas longtemps avant de recevoir en priant, mais la plupart du temps, leur miracle est la manifestation du résultat de plusieurs mois, voire des années de souffrance, tout comme le fruit d'un arbre est le résultat de plusieurs années de croissance et de lutte contre les intempéries. Alors, quand vient le temps de la moisson d'une personne qui a fait face à des difficultés, comme un arbre qui a lutté contre vents et marées avant de donner des fruits, on ne peut se permettre de dire qu'une personne n'a pas eu besoin de prier longtemps avant d'avoir une réponse.

«Le fait de répéter les erreurs des autres déforme notre destin»

EULOGE EKISSI

En répétant les erreurs des autres, nous produisons de mauvais résultats et retardons notre délivrance. Il est impossible pour une personne de répéter ses erreurs et de mal interpréter certaines choses en espérant avoir une suite favorable. C'est pourquoi certains sont devenus les artisans de leur propre malheur à cause de leur esprit fermé, qui continue de faire de leur zone de confort et de leur faiblesse un paradis dont ils refusent de se séparer. Le problème est que les gens prennent la mauvaise habitude de répéter ce qu'ils entendent d'autres personnes dire ou faire parce qu'ils n'ont aucune connaissance de la Bible pour faire la différence entre le vrai et le faux. Souvent, les gens en savent trop pour s'ouvrir à de nouvelles idées et finissent par devenir leurs propres obstacles. C'est la raison pour laquelle de nombreuses personnes tournent en rond vu qu'elles ont oublié que dans la vie, on ne finit jamais d'apprendre. Parler en langue n'est pas une mauvaise chose. Mais si vous voulez créer de nouvelles opportunités, la prophétie devient la clé. *«**Souvenez-vous donc que la destinée d'une personne ne change que lorsque sa philosophie du monde dans lequel elle vit change.**»* Tant que notre façon de voir ou de comprendre les choses ne change pas, notre vie produira toujours le même résultat.

«Personne n'en sait autant pour se permettre d'être pessimiste.»

WAYNE DYER

CHAPITRE 4

La puissance du pardon

«Le pardon est une clé de la délivrance, car il nous décharge des fardeaux du passé. Pardonner, c'est se libérer soi-même. Quiconque refuse de le faire, garde les clés de sa propre prison.»

EULOGE EKISSI

«C'est par la tolérance, le pardon et la douceur que nous prouvons notre véritable amour à ceux qui nous entourent. En leur donnant davantage la joie de sourire et en leur transmettant nos pensées par des actes positifs, nous créons l'harmonie entre eux et nous.»

EULOGE EKISSI

Toute personne qui prétend aimer et refuse de pardonner n'est qu'en train de confirmer son manque d'amour qui est la raison pour laquelle elle se bat pour ses propres intérêts. Quand nous défendons notre cause en oubliant la faiblesse d'autrui, cela montre qu'on ne pense qu'à nous seuls. Par contre, en traduisant notre amour en pardon et en tolérance, nous préservons nos relations.

LA PUISSANCE DE L'AMOUR

Si dès les premiers moments de nos relations, nous n'avons pas vu de fautes et de défauts, c'est l'amour que nous ressentions qui les couvrait. Et si nous commençons à voir des fautes, des défauts, à tel point que nous nous mettons à attribuer les fautes, à condamner et sentir la frustration pour un oui ou pour un non à l'égard d'une personne, cela veut dire que l'amour qui couvrait ces choses dès le départ n'existe plus. C'est pourquoi nous prétendons aimer pour ensuite nous retrouver à la justice à nous battre pour la garde de nos enfants et le partage de nos biens. En réalité, si notre amour était toujours là, nous n'en serions pas arrivés à cette conclusion.

«Les fautes sautent très vite aux yeux d'un couple quand l'amour qui les couvrait disparaît».

EULOGE EKISSI

Quand l'amour existe, personne n'accepte de participer aux conflits, disputes et querelles dans le but de le préserver. Voilà pourquoi, quand deux personnes ne s'aiment plus, elles passent tout leur temps à se battre parce que leurs esprits sont spirituellement déconnectés à cause du manque d'amour. Pour que l'amour existe, il faut d'abord qu'il y ait une connexion entre les deux esprits sur le plan spirituel. C'est pour cela que nous pouvons ressentir l'amour pour une personne rien qu'en communiquant avec elle à distance, sans même la voir. L'amour est une question de connexion spirituelle avant d'être ressenti physiquement. L'amour est si puissant qu'il peut pousser un être à aller au bout du monde pour retrouver son âme sœur. L'amour est si prédominant que, quand il s'effondre, la vie perd sa valeur à nos yeux et notre monde de paix s'effondre de même. L'amour a poussé de nombreuses personnes à tuer par jalousie. L'amour a poussé certains à renoncer à leur vie pour sacrifier leur destinée en faveur d'une autre personne. L'amour pousse à supporter la douleur et à partager avec nos semblables. L'amour nous pousse à mettre les intérêts de nos semblables avant les nôtres. *«L'amour donne la paix dans le foyer même quand les erreurs et les fautes se multiplient. L'amour couvre les fautes et les rend invisibles à nos yeux.»*

EULOGE EKISSI

1 Corinthiens 13 V4.6 *«L'amour est patient, il est plein de bonté; l'amour n'est point envieux; l'amour ne se vante point, il ne s'enfle point d'orgueil,»* V5 *«il ne fait rien de malhonnête, il ne cherche point son intérêt, il ne s'irrite point, il ne soupçonne point le mal,»* V6 *«il ne se réjouit point de l'injustice, mais il se réjouit de la vérité.»*

POURQUOI LES CONFLITS DANS NOS RELATIONS?

Laissez-moi vous raconter une histoire pleine de leçons qui s'est déroulée, il y a des années de cela. Entre 1991 et 1992, un ami et moi avions décidé d'aller à la chasse derrière la rivière du village. Nous étions inséparables et faisions presque tout ensemble. Ce jour-là, nous nous étions mis d'accord pour partager le gibier que nous allions capturer, quel que soit celui qui l'abattrait. Au contraire, dans nos cœurs, chacun ne pensait qu'à remporter le trophée pour montrer qu'il était le meilleur chasseur. Après avoir traversé la rivière du village, nous nous rendîmes sous un arbre d'où, après quelques minutes de silence, un gros oiseau vint se poser sur une branche. Dans la précipitation, nous avions tous deux tiré en touchant l'oiseau de plein fouet à l'aide de nos lance-pierres. Quelques secondes après une bataille dans l'air, le gros oiseau s'effondra devant nous, luttant pour s'échapper. Au lieu de le saisir, nous nous mîmes à nous disputer sans prendre le temps de le capturer en vue du partage. Mon ami se mit à crier : «C'est moi qui l'ai abattu.» Je répliquai en disant : «Non! Ce n'est pas toi! Nous avions certainement lancé nos deux pierres dans la même direction, mais c'est moi qui l'ai atteint.» Engagés dans cette dispute égoïste où chacun ne défendait que son intérêt, nous avions oublié que l'oiseau tentait de regagner ses forces pour s'échapper. Après cinq minutes d'incompréhension que l'on pouvait qualifier de bataille juridique en vue de garder tout le gâteau, l'oiseau reprit ses forces et s'enfuit sous nos yeux. Nous nous étions sentis si stupides après cet acte de manque de sagesse que nous avions décidé d'abandonner la partie de chasse en rentrant à la maison bredouille. En nous demandant pourquoi cette dispute avait eu lieu si nous avions convenu dès le départ de partager ? Je me suis rendu compte que c'est parce que nous n'étions pas sincères dans nos décisions. Non seulement cela m'a permis d'apprendre que la sincérité au départ de toute chose nous empêche de nous retrouver dans la confusion à la fin de celle-ci, mais aussi, cela m'a aidé à comprendre pourquoi les couples, les partenaires d'affaires et amis sont toujours en désaccord et se querellent à propos de leurs préférences.

POURQUOI LES DÉSACCORDS ?

L'égoïsme est la cause de nombreux désaccords dans le mariage et dans le domaine des affaires. Le refus de voir certaines personnes prospérer ou accepter de partager avec amour est l'une des raisons pour lesquelles plusieurs écrasent leurs sem-blables. C'est aussi la raison pour laquelle certains refusent de s'engager dans le mariage, parce qu'ils pensent que leur partenaire n'est là que pour leurs biens. C'est également la raison pour laquelle on se dispute pour avoir la garde des enfants. Si ce n'est pas le cas, pourquoi prétendons-nous vouloir nous unir pour le meilleur et pour le pire, alors que nous nous retrouvons à nous quereller pour de petites fautes que nous refusons de pardonner? C'est par égoïsme que nous refusons que notre partenaire ait des amis, et c'est également la même raison pour laquelle nous voulons avoir la garde des enfants pour nous seuls. Nous condamnons, nous jugeons et voulons toujours imposer notre façon de voir les choses. C'est vrai qu'il peut arriver des choses qui ne sont pas faciles à pardonner, mais je ne vois pas ce qui est plus fort que l'amour pour nous empêcher de pardonner, car l'amour nous pousse toujours à donner une nouvelle chance en pardonnant.

§

PREUVE D'AMOUR

Voici une preuve d'amour : des femmes ont découvert des confirmations de la trahison de leur mari, mais elles ont fini par pardonner. Certains hommes ont aussi surpris leur femme en train de les tromper, mais ils ont fini par pardonner. Même à des prisonniers ou à des criminels, une nouvelle chance est accordée chaque année. Quand le refus de pardonner s'installe dans nos cœurs, c'est notre vraie personnalité qui se révèle. Sinon, je ne vois pas ce qui est plus fort que l'amour pour résister au pardon. Cela peut sembler irraisonnable, mais quand nous ne parvenons pas à pardonner, c'est parce que l'amour a été brisé. Sinon, si notre amour n'est pas affecté malgré les erreurs de nos semblables, nous finissons par pardonner.

Un sage a dit ceci : *«Comprendre les actes les plus abominables de nos semblables est un mérite d'indulgence. Il n'y a rien sur la terre qui soit plus douce que l'eau, mais quand elle frappe, rien ne peut lui résister.»*

LAO TSEU

En méditant sur cette phrase, j'ai conclu que le refus de pardonner est une faiblesse qui s'installe quand l'amour que nous ressentons a été brisé. Nous devons donc savoir qu'il n'y a aussi rien sur la terre qui soit plus paisible que l'amour. *«Quand nous le ressentons, aucune faute ne peut lui résister, car il nous donne la force de pardonner, d'aimer davantage et de partager.»* C'est pourquoi *«quand une personne est amoureuse, elle vit dans un monde où tout est parfait. Elle ne voit ni faute à condamner et rien à blâmer dans la vie de celui ou celle avec qui elle marche, vu que là où les autres cherchent à condamner, notre amour rend tout parfait et nous pardonnons.»* Les conflits, la haine, les disputes et les condamnations ne sont que des signes de manque d'amour.

L'AMOUR REND TOUT PARFAIT

Rien n'est parfait sur cette terre, mais il n'y a que notre amour pour une chose ou une personne qui rend parfait, raison pour laquelle quand le monde juge nos choix, notre amour pour eux les rend parfaits. Rien ne sera parfait non plus. En revanche, ce n'est qu'en acceptant de voir ceux qui nous entourent d'une autre façon que nous pouvons les rendre parfaits. La vraie raison des nombreuses condamnations que nous prononçons à l'égard de nos semblables n'est que notre refus de les accepter comme ils sont. La frustration que certains ressentent vient du fait qu'ils ne veulent pas accepter le point de vue de leurs proches. Pourtant, nous ne voyons aucun point de vue à imposer à nos semblables quand il existe l'amour entre eux et nous. L'amour nous permet de tolérer les défauts de nos proches. L'amour fait que personne ne veut dominer, de peur de frustrer ou blesser son prochain. Dans l'amour, tout se partage. Quand nous aimons une personne, nous l'acceptons malgré ses défauts. Dans une relation, la soumission, la tolérance, le pardon et l'amour sont les plus grandes vertus, sans lesquelles aucun mariage ne peut résister au vent des manipulations venant des hommes et du diable. En réalité, c'est par manque d'amour que les hommes exposent leurs partenaires. Et c'est pareillement du manque d'amour que naissent la haine et la vengeance après la séparation. C'est par manque d'amour que nous continuons de voir des fautes en certaines choses et en certaines personnes, parce que le manque d'amour pour une chose ou une personne la rend imparfaite.

«Aimer son prochain comme soi-même, c'est l'accepter malgré ses défauts».

EULOGE EKISSI

QU'EST-CE QUI DÉTRUIT L'AMOUR?

«C'est qu'à cause de l'existence en nous des faiblesses et des imperfections telles que la colère, la haine, la rancune et le refus de pardonner que notre amour pour autrui, devient imparfait.»

EULOGE EKISSI

La colère nous pousse à réagir là où nous sommes censés garder notre calme. Le manque d'amour a fait de certaines personnes des spécialistes de la rancune. C'est pour cette raison qu'elles traînent de vieilles histoires qui ruinent leurs propres santés et leur vie depuis des années. En fait, quand nous aimons, nous pardonnons toujours pour préserver nos relations. Refuser de pardonner, c'est refuser la chance à ceux qui nous offensent d'apprendre de leurs fautes, car, ***«il n'y a pas plus grande leçon dans la vie que le pardon pour témoigner de l'amour de Dieu envers nos semblables.»***

EULOGE EKISSI

Sinon, que faisons-nous de bon, en nous mettant à genoux devant Dieu le matin, soit pour implorer sa miséricorde ou son aide, pendant que nous avons une liste de personnes qu'il a créées à son image à qui nous refusons de pardonner? Si nous aimons Dieu, démontrons-le par un geste d'amour à l'égard de nos proches. Pardonner, c'est prouver notre amour. Quand nous pardonnons à nos proches, nous donnons à Dieu une occasion de nous pardonner aussi. Au fond, toute prière que nous adressons à Dieu en refusant de pardonner à ceux qui nous ont offensés ne monte pas à lui. Le refus de pardonner est un péché qui fait obstacle à nos prières, étant donné que le péché est une transgression de la loi divine. Cependant, cette loi nous demande de pardonner avant de donner nos offrandes ou d'adresser nos prières à Dieu. Cette loi nous recommande même de ne pas dormir avec la colère, afin de ne pas donner au diable l'accès à notre vie. ***Éphésiens 42 V26.27*** *«Si vous vous mettez en colère, ne péchez point; que le soleil ne se couche pas sur votre colère,»* *V27* *«et ne donnez pas accès au diable.»*

L'IMPORTANCE DU SILENCE

«Presque toujours, il n'y a rien de plus important que le langage du silence pour conserver la paix.»

EULOGE EKISSI

Très régulièrement, quand nous voulons nécessairement répondre à tout, nos paroles risquent de ne servir à rien, si ceux à qui nous voulons les exprimer décident de ne rien comprendre. Généralement, la chose à faire à certains moments de notre existence, ou quand nous sommes dans l'attente d'une chose importante, est d'être honorable devant le Seigneur. Pourtant, il nous arrive de voir les gens autour de nous poser certains actes qui nous poussent à réagir. Nous pouvons réagir s'il le faut, mais quand notre réaction risque de ne produire que des disputes, il vaut mieux garder le silence. Quand une personne vous pose une question dont votre réponse risque d'envenimer les choses, il vaudrait mieux trouver un moyen de l'éviter sans toutefois créer d'autres conflits.

«À mon avis, une question peut être un piège si celui ou celle qui vous la pose a déjà une position ou une idée qu'il ou elle refuse de changer.»

EULOGE EKISSI

C'est pourquoi quand nous n'usons pas de sagesse pour retenir notre langue ou donner une réponse douce, cela déclenche souvent des disputes. Nous ne sommes pas obligés de donner une réponse à une personne parce que c'est ce à quoi elle s'attend, mais nous devons toujours amener la paix et l'amour en posant un acte rassembleur au lieu de participer au conflit. ***Matthieu 5 V37*** *«Que votre parole soit oui, oui, non, non; ce qu'on y ajoute vient du malin.»*

LA FORCE DU SILENCE

«Un jour, j'avais lu quelque part que le silence tuait la dignité.» Pourtant, dans certains cas, notre silence face aux provocations nous rend plus forts et nous donne même le pouvoir de vaincre. En réalité, la raison pour laquelle l'ennemi pousse les gens à mal agir envers nous est de nous induire en erreur. Toutefois, lorsque nous ne réagissons pas face à son piège et que nous gardons le silence, il échoue. Il nous arrive très fréquemment de voir des partenaires d'affaires, des couples et des amis (es) qui sont motivés par des querelles dont ils ne cherchent à comprendre l'origine qu'après s'être disputés et infligé des blessures émotionnelles par des actes et des paroles difficiles à oublier. Pourtant, si ces personnes avaient eu la sagesse de garder le silence face à ces choses qui paraissaient, dans un premier temps impardonnables, elles auraient compris que la motivation du diable était de les freiner et non de les pousser à se disputer pour satisfaire l'ego de chacun.

Il est clair qu'en gardant le silence, lorsque l'on nous manque de respect ou que l'on tente de nous intimider, nous paraissons parfois faibles; mais en réalité, rester calme et confiant en toutes circonstances nous rend plus forts que nous ne le croyons. En effet, lorsque nous gardons le silence, l'ennemi ne trouve aucune faute pour nous accuser devant Dieu. C'est pourquoi il persiste et insiste, puisqu'il sait que la seule chose qui peut lui permettre de nous avoir est de nous pousser à transgresser la loi divine. Car il est écrit : *«Car par tes paroles, tu seras justifié, et par tes paroles, tu seras condamné»*, selon ***Matthieu 12 V37***, il cherche alors à créer la mésentente pour nous pousser les uns contre les autres, afin d'avoir une raison valable pour nous accuser et nous voler. Aussi, il sème la confusion parce qu'il sait que le fait de rester calme et en confiance nous rend forts. Dès lors, il cherche à nous déstabiliser pour puiser sa force dans notre faiblesse. Pour vérifier ce que je tente de vous dire, essayez de prier lorsque vous êtes en colère ou décourager, et vous verrez que vous n'aurez pas assez de force et de courage pour le faire. Pourtant, c'est à ce moment-là que les cauchemars et les attaques nocturnes se multiplient. Comme Lao Tse l'a si bien dit : *«Celui qui vainc les autres est fort; mais celui qui se vainc lui-même est puissant.»*

«Essayer d'imposer son point de vue aux autres est une chose facile, mais surmonter ses propres faiblesses et se discipliner soi-même constitue un défi de taille pour de nombreuses personnes qui se laissent dominer par leurs habitudes.»

EUOGE EKISSI

L'un des messages que nous envoyons à quiconque nous met en colère en réagissant confirme qu'il ou elle a de l'influence sur nous au point de décider de notre humeur par un geste ou une parole. Cependant, en restant calme face aux provocations, notre silence nous rend plus forts que jamais parce que sans une cause pouvant lui permettre d'interagir entre notre ange de bénédiction et nous, ses malédictions, ses attaques et ses accusations n'ont aucun effet sur nous. **Proverbes 26 V1.2** *«Comme la neige en été, et la pluie pendant la moisson, ainsi la gloire ne convient pas à un insensé.»* V2 *«Comme l'oiseau s'échappe, comme l'hirondelle s'envole, ainsi la malédiction sans cause n'a point d'effet.»*

CONSTRUIRE LA PAIX

«Parfois, le silence nous permet de construire la paix, peu importe les provocations venant de la part de nos adversaires ou les disputes occasionnées par notre entourage.»

EULOGE EKISSI

Il n'y a rien, qui parle plus fort que le message du silence et de la tolérance pour construire la paix. Quand ce que vous avez à dire n'est pas important pour vous servir à bâtir la paix, mieux vaut alors ne pas ouvrir la bouche, car certaines paroles sont puissantes comme des flèches et peuvent briser l'âme et l'amour d'une personne en détruisant la paix.

«La parole est invisible, mais elle demeure puissante et inflige des blessures immédiates.»

EULOGE EKISSI

«En dépit de la puissance de la parole, c'est notre façon de l'utiliser qui nous permet de créer la paix ou les conflits dans lesquels nous vivons. Car quiconque sème la paix récolte l'amour. Mais celui qui sème la provocation récolte la confusion ou la guerre». **Comme Wayne Dyer l'a dit :** *«Si, vous prenez part au conflit, vous n'êtes pas la solution, mais vous devenez les problèmes.»* La parole peut aussi donner l'espoir, le sourire, la joie ou même la mort. C'est l'une des raisons pour lesquelles l'objectif de l'application du message du silence est d'empêcher qu'une simple réponse qui risque de ne pas être appréciée devienne la raison d'une dispute inutile. Comme un sage chinois l'a si bien dit : *«Quand ce que vous avez à dire n'est pas plus important que le silence, taisez-vous.»* Cette citation qui m'avait été enseignée dans les années 1999 m'a aussi permis de savoir que : *«souvent, le silence vaut mieux que l'abondance des paroles.»* Il est bien de répondre face à certaines choses pour éviter que l'on ne nous prenne pour des personnes à écraser, surtout quand nous avons raison. Pourtant, raison ou pas, notre objectif ne doit toujours être que de préserver l'amour et la paix dans nos relations. Sinon, que vaut le prix d'une raison quand celui-ci risque de briser notre joie, notre mariage ou de détruire une affaire importante ? D'ordinaire, avoir raison nous donne un sentiment de satisfaction, mais ne sert à rien d'autre que de désaltérer notre ego. C'est la raison pour laquelle de nombreuses personnes se sont querellées pour avoir une raison qui ne leur a servi qu'à détruire leur mariage, à perdre un bon partenaire d'affaires ou un ami, « *car avoir raison ne sert à rien, si cela ne permet pas de bâtir une relation stable.* »

EULOGE EKISSI

En conséquence, nous devons parfois accepter d'avoir tort pour éviter que les choses dégénèrent quand l'autre semble ne pas comprendre qu'une lutte en vue d'avoir raison finit toujours par créer une aire de confusion et de haine. Celui qui cherche l'amour couvre les fautes, parce que la raison est un trophée que peu de personnes sont prêtes à échanger pour avoir tort quand elles n'ont rien fait de mal. En revanche, si par amour, nous acceptons d'avoir tort, en récompense, nous finirons tôt ou tard par jouir du fruit de l'amour que nous avons semé. Sur ces entrefaites, si nous devons nécessairement dire la vérité, faisons-le de sorte à atténuer tous conflits et désaccords pouvant mettre en péril nos efforts, surtout quand nous sommes impliqués dans la prière. Aussi, nous devons comprendre que l'on ne doit pas réagir face à tout, quand on veut avoir de la stabilité. Si nous ne parvenons pas à nous contrôler, un acte posé ou une parole peut être l'étincelle qui crée la flamme des nombreuses disputes dont le diable pourra se servir pour avoir accès à notre vie. Alors, ne lui donnons pas ce plaisir et demeurons dans la joie, car la parole de Dieu déclare : « *Un cœur calme est la vie du corps, mais l'envie est la carie des os.* », **Proverbes 14 V30.** Encore**,** le livre de **Proverbes 14 V13.14** nous dit ceci : « *Au milieu même du rire le cœur peut être affligé, et la joie peut finir par la détresse.* » V14. « *Celui dont le cœur s'égare se rassasie de ses voies, et l'homme de bien se rassasie de ce qui est en lui.* »

1 Pierre 3 V15.17 «*Mais sanctifiez dans vos cœurs Christ le Seigneur, étant toujours prêts à vous défendre, avec douceur et respect, devant quiconque vous demande raison de l'espérance qui est en vous,» V16 «et ayant une bonne conscience, afin que, là même où ils vous calomnient comme si vous étiez des malfaiteurs, ceux qui décrient votre bonne conduite en Christ soient couverts de confusion.» V17 «Car il vaut mieux souffrir, si telle est la volonté de Dieu, en faisant le bien qu'en faisant le mal.»*

Proverbes 10 V11.13 «*La bouche du juste est une source de vie, mais la violence couvre la bouche des méchants.» V12 «La haine excite des querelles, mais l'amour couvre toutes les fautes.» V13 «Sur les lèvres de l'homme intelligent se trouve la sagesse, mais la verge est pour le dos de celui qui est dépourvu de sens.»*

ÊTRE EN ACCORD

L'une des autres raisons pour lesquelles il est important d'appliquer le message du silence est que garder le silence face à certaines situations nous aide à maintenir la stabilité et l'amour qui nous permettent d'être en accord. Et dès lors que nous sommes en accord, cela nous permet d'avoir le succès dans la prière. C'est la raison pour laquelle la parole de Dieu nous dit ceci : «*Je vous dis encore que, si deux d'entre vous s'accordent sur la terre pour demander une chose quelconque, elle leur sera accordée par mon Père qui est dans les cieux.»Matthieu 18.19.*

Proverbes 17 V18.20 «*L'homme dépourvu de sens prend des engagements, il cautionne son prochain.» V19 «Celui qui aime les querelles aime le péché; celui qui élève sa porte cherche la ruine.» V20 «Un cœur faux ne trouve pas le bonheur, et celui dont la langue est perverse tombe dans le malheur.»*

Amos 3 V2.3 «*Je vous ai choisis, vous seuls parmi toutes les familles de la terre; c'est pourquoi je vous châtierai pour toutes vos iniquités.» V3 «Deux hommes peuvent-ils marcher ensemble s'ils ne sont pas d'accord?»*

Selon le dictionnaire, accord veut dire : «entente entre personnes résultant de leur conformité de sentiments, harmonie, concordance entre des choses.» je crois aussi qu'être en accord veut dire avoir les mêmes objectifs. S'unir pour la même vision ou avoir un but commun. S'accorder, c'est prouver notre amour pour la même chose, être uni pour la même cause, approuver les mêmes idées et partager le même point de vue.

๑

ÊTRE EN DÉSACCORD

Il y a désaccord quand chacun se bat pour son intérêt et veut nécessairement imposer son point de vue. Il y a désaccord quand chacun veut se faire entendre au-dessus des autres. Il y a aussi désaccord quand nous refusons d'avoir les mêmes points de vue et de croire à la même chose. C'est pour cela que les enfants de Dieu prient et n'obtiennent pas de réponse, parce qu'ils oublient que tout ce qui est contraire à la volonté de Dieu est avec quoi l'ennemi fait obstacle à nos prières. Nous devons donc apprendre à faire toutes nos prières en vivant dans l'amour et dans un accord parfait. Pendant et après la lecture de ce livre, il arrivera trois choses durant son application. Ce sont : *la tentation sexuelle, la colère et le découragement.* Toutefois, si vous parvenez à les surmonter, la réponse à vos prières ne tardera pas. Vous aurez aussi des songes, mais ne craignez rien parce que ces songes ne font que confirmer que vos prières montent.

En fait, quand Dieu prend le contrôle de notre vie après nos prières, il nous fait des révélations pour nous guider dans le combat que nous menons. Alors, ne vous laissez pas effrayer par tout ce qui arrivera, mais réjouissez-vous de ce que ces choses confirment l'efficacité de vos prières et ne baissez jamais les bras, parce que si vous êtes sur la bonne voie en poursuivant un but qui s'inscrit dans la volonté de Dieu pour vous, il ne vous laissera jamais seul comme il l'a si bien promis dans le livre de Josué en disant ceci : *«Nul ne tiendra devant toi, tant que tu vivras. Je serai avec toi, comme j'ai été avec Moïse; je ne te délaisserai point, je ne t'abandonnerai point.» V6 «Fortifie-toi et prends courage, car c'est toi qui mettras ce peuple en possession du pays que j'ai juré à leurs pères de leur donner.» V7 «Fortifie-toi seulement et aie bon courage, en agissant fidèlement selon toute la loi que Moïse, mon serviteur, t'a prescrite; ne t'en détourne ni à droite ni à gauche, afin de réussir dans tout ce que tu entreprendras.» V8 «Que ce livre de la loi ne s'éloigne point de ta bouche; médite-le jour et nuit, pour agir fidèlement selon tout ce qui y est écrit; car c'est alors que tu auras du succès dans tes entreprises, c'est alors que tu réussiras...».* **Josué 1 V5.8**

«Si vous voyez une personne abandonner à la première occasion, cela veut dire qu'elle faisait semblant d'aimer son métier ou celui avec qui elle marchait. **L'amour véritable que nous ressentons pour ceux qui nous entourent ou pour nos rêves ne meure jamais, et ce, même après les plus grands chocs de la vie.»**

EULOGE EKISSI

101

CHAPITRE 5

Comment vaincre les ruses du diable ?

Connaître les ruses de l'ennemi nous donne la victoire dans le combat spirituel. Notez bien que, pour que ces prières vous apportent des résultats aussi rapidement que vous le souhaitez, vous devez les confesser à haute voix avec foi et conviction. Faites-les avec persistance et autorité, sans toutefois déranger les gens autour vous. Assurez-vous d'insister sur chaque point de prières, comme indiqué selon les recommandations de l'esprit de Dieu. Quand vous vous mettez à prier, prenez le soin d'éteindre votre téléphone ou de le mettre en mode silencieux.

Avisez les gens du fait que vous serez occupé pour éviter qu'ils ne vous dérangent, lorsque vous serez en communion avec le Tout-Puissant, Jéhovah. Ne soyez pas tenté de jeter un coup d'œil sur votre téléphone ou votre ordinateur, s'ils sont en marche, pour voir si vous avez reçu un appel ou un message électronique, à moins que le temps que vous vous êtes fixé pour prier n'arrive à sa fin.

LA PRESSION DANS LA PRIÈRE

«La pression dans la prière fait céder les barrières»

EULOGE EKISSI

Prier de manière intensive est comme maintenir la pression sur une barrière de notre chemin pour qu'elle tombe. Pourtant, chaque fois que cette barrière invisible installée par les forces à la base du problème est sur le point d'être dégagée par la puissance de notre prière, elles inspirent une personne de près ou de loin à subitement avoir envie de nous parler. Quelques minutes après, où c'est le téléphone qui commence à sonner, ou ce sont des gens qui viennent frapper à notre porte alors que nous sommes en pleine prière. Si par hasard, nous arrêtons de prier pour parler, à notre retour, nous perdons la connexion et l'Esprit de Dieu se retire. Et si, malgré tout, nous tentons de continuer à prier, nous ne sommes plus concentrés et motivés. Ainsi, on met fin à la prière et la réponse ne vient pas parce que cette prière n'a pas été prise en compte par Dieu, vu qu'elle a été mal faite. Toutefois, si nous parvenons à nous concentrer jusqu'à la fin de notre section de prière, Dieu nous exauce. Malgré tout, quand nous sommes exaucés, le combat ne s'arrête pas là ; la tentation, la confusion et les disputes se lèvent. Et si nous ne nous ressaisissons pas vite, la joie de la prière finit par se transformer en chagrin. Le diable entreprend cette démarche en vue de nous affaiblir ou de trouver une cause pour nous accuser afin d'empêcher l'ange de venir jusqu'à nous pour nous bénir après nos prières. Cependant, si nous parvenons à résister à ses ruses et à mettre la pression, toutes les barrières spirituelles qu'il tente d'installer tombent et nous obtenons la réponse à nos prières.

LE PAS APRÈS LA PRIÈRE

L'une des choses que certains d'entre nous ignorent est le pas après la prière. Le moment de l'attente d'une réponse à nos prières est la période la plus importante qu'il ne faut aucunement négliger. Malgré cela, c'est à ce moment-là que beaucoup font l'erreur de baisser leur garde. Le pas après la prière consiste à entreprendre des démarches pour amener la réponse à nos prières à se manifester physiquement. Cela consiste à faire un plan d'action et à l'exécuter aussitôt que possible en suivant la direction du Saint-Esprit. De plus, après la prière ou le jeûne, nous ne devons pas nous permettre de dormir sans prier sous prétexte que l'on vient de faire de longs jours de jeûne ou de prière ; pour la raison que c'est en ce moment que le diable passe à l'action. Si vous mettez, par exemple, le feu chez votre ennemi et que vous revenez chez vous sans vous barricader en restant sur vos gardes, il trouvera le moyen de venir se venger. Certaines personnes croient que le moment de la prière est le plus important, mais elles oublient que c'est après les prières que l'ennemi passe à l'œuvre, lorsque la vie reprend son cours normal. Pourquoi ? Parce que durant nos prières, le ciel reste en alerte et les anges viennent en grand nombre pour nous soutenir. C'est pour cela que durant la prière, le diable ne nous attaque pas. Cependant, quand nous reprenons nos habitudes quotidiennes, telles que les rapports intimes, la nourriture, les distractions et le travail après nos prières, nous baissons notre garde à 50 %, à 20 %, à 5 % et 0 % pour certains. À ce moment-là, le diable profite de notre manque de vigilance pour inverser tout ce que nous avions obtenu durant la prière en nous poussant à faire des erreurs. Résultat : nous commençons à faire de mauvais rêves et les difficultés commencent. Si nous ne faisons rien pour y mettre fin, la réponse à nos prières ne viendra jamais, parce que l'ennemi aura annulé tout ce que nous avons demandé à Dieu en nous poussant à pécher. C'est pourquoi des couples quittent l'église et se disputent bien avant d'arriver à la maison. C'est aussi la raison pour laquelle, après nos jeûnes et prières, nous sommes sous une pression intense provoquée par le diable pour nous pousser à commettre des actes qui nous affaiblissent ou nous souillent.

LES RAPPORTS SEXUELS ABUSIFS

Quand une personne s'implique beaucoup dans les rapports sexuels, durant ses moments de prières, elle ne se sent pas en harmonie avec Dieu. Cela prend de trois à sept jours pour retrouver son efficacité dans la prière, après les rapports intimes. Pour moi, cet intervalle de temps est relatif au nombre de jours qu'il lui faut pour retrouver la force spirituelle ou l'énergie qu'elle a gâchée. Ma foi, sans cette force, personne ne peut posséder les promesses de Dieu. Après leurs prières, les hommes et leurs femmes s'aiment plus et passent plus de temps dans les rapports intimes. Ils ne font que cela toute la semaine, voire tout le mois. Le diable les occupe ainsi pour les affaiblir dans la prière en leur faisant ressentir l'amour de nouveau comme à leurs débuts. Quand leur temps de bénédictions et de miracles passe sous leur nez sans qu'ils s'en aperçoivent, il leur retire l'amour de nouveau. À ce moment, toutes ces paroles douces, ces gestes d'amour et de gentillesse disparaissent et ils deviennent à nouveau comme des chiens et des chats dans une maison : ils ne peuvent passer un seul instant sans se disputer. Ils recommencent à se bouder, à se répondre durement et à vivre sans tolérer les moindres fautes venant de la part de l'un ou de l'autre. Ainsi, le diable parvient-il à créer un air de conflits et de confusion dans le couple ciblé, jusqu'à ce qu'une autre occasion de miracle se présente à lui pour qu'il revienne encore le manipuler avec un amour éphémère.

TROIS CHOSES À ÉVITER APRÈS LA PRIÈRE

Les trois choses à éviter après la prière sont : la colère, les actes sexuels abusifs et les pensées négatives. Elle donne à l'ennemi l'accès à notre vie et le droit de faire obstacle à nos opportunités et bénédictions.

1. La colère

Quand l'ennemi utilise les mêmes ruses, qui sont la colère, les disputes, la tentation sexuelle et les attaques en rêves, qui représentent ses stratégies de manipulation et de combat, cela veut dire que ses victimes n'ont encore rien compris ou bien qu'ils l'ont compris, mais ne savent pas comment l'arrêter.

2. Les actes sexuels au mauvais moment

Beaucoup pensent que le fait d'être mariés leur permet d'abuser des actes sexuels avec leur partenaire, mais ils se trompent. Effectivement, les actes sexuels abusifs et la prière ne vont pas ensemble ; étant donné qu'ils diminuent notre énergie et nous affaiblissent silencieusement. C'est pour cela qu'après leurs actes sexuels, certains font de mauvais rêves. Il n'est pas interdit à un couple d'avoir des rapports intimes, mais il doit s'assurer de demeurer dans la prière, parce que tout excès nuit. *«Car, tout est permis, mais tout n'est pas utile ; tout est permis, mais tout n'édifie pas.» 1 Corinthiens 6 V12*.

Similairement, les actes sexuels réduisent notre énergie spirituelle et nous épuisent. Non seulement ils nous affaiblissent, mais nous empêchent d'être en harmonie avec Dieu et nous-mêmes.

3. Les pensées négatives

Les pensées négatives souillent notre cerveau et rendent notre âme impure. Elles endommagent nos dons de vision et ferment nos yeux spirituels. Résultat : on ne se souvient plus de nos rêves et nous perdons la direction divine pouvant nous aider dans le combat spirituel.

«La pensée négative est une force du mal. Quand elle nous domine, elle empêche Dieu d'agir efficacement en nous.»

EULOGE EKISSI

COMMENT SURMONTER LES OPPOSITIONS

Pour surmonter les oppositions auxquelles nous faisons face dans le processus de la réalisation des désirs et les prières que nous faisons en vue d'être délivrés, nous devons nous armer de persistance et de détermination. Aucune armée ne peut arrêter une personne déterminée, même si elle connaît ses intentions. Les gens ne parviennent à nous arrêter que lorsque nous parlons beaucoup sans agir et quand nous continuons à dormir pour collectionner des rêves sans passer à l'action. Cependant, quand nous agissons dans le secret, nous parvenons à les surprendre quand vient l'heure de notre triomphe.

Il n'y a pas de meilleur moment pour atteindre nos buts que celui que nous créons nous-même pour amener à la manifestation les promesses de Dieu pour nous. C'est cela, qu'un appel de Dieu pour nous puisse devenir un arbre ou arbuste en fonction de la vision de celui ou celle qui le reçoit. Cela veut dire que quoique nous soyons sur terre pour accomplir, nous avons des chances de réussir ou d'échouer, d'autant plus que nous visons bas ou haut.

«Car, rien ne détruit plus notre potentiel que notre vouloir de viser bas dans la vie, quand nous sommes appelés à rêver grand pour changer l'histoire de l'humanité.»

EULOGE EKISSI

«Étant donné que l'ampleur de notre succès est toujours le résultat de notre vision et de notre compréhension des choses qui nous entourent ainsi que de nos choix, il nous serait profitable de rêver grand pour récrire le scénario de notre vie.»

EULOGE EKISSI

DÉTRUIRE LES PROGRAMMATIONS MALÉFIQUES

Il nous arrive parfois de faire face à des événements malheureux qui sont souvent les résultats des manipulations de l'ennemi. Tout comme il ne peut y avoir de fumée sans feu et d'ombre sans lumière, il ne peut nous arriver quelque chose sur cette terre sans qu'une force l'ait favorisée. Beaucoup pensent que les chrétiens sont souvent paranoïaques au point de voir le mal partout. Pourtant, le bien et le mal existent tangiblement parmi nous. Que nous soyons chrétiens ou pas, un jour l'autre, nous ferons face à certains événements qui sont au-dessus de nos forces. Lorsque notre vie devient une bataille sans fin à tel point que tout le monde autour de nous semble progresser et que notre vie reste dans la stagnation, nous nous posons de nombreuses questions face aux imprévus de la vie. Aujourd'hui, beaucoup sont malades et font face aux pires réalités de la vie dans le monde entier. Cependant, s'il existe une force suprême capable de transporter le soleil d'un point à un autre et de faire tourner la terre sur elle. Le Dieu générateur de cette puissance peut aussi transformer notre état de santé et renouveler notre vigueur. ***Ésaïe 40 V30.31*** *«Les adolescents se fatiguent et se lassent, et les jeunes hommes chancellent ; »* V31, *«Mais ceux qui se confient en l'Éternel renouvellent leur force. Ils prennent le vol comme les aigles ; ils courent, et ne se lassent point, ils marchent, et ne se fatiguent point. »*

Alors, plutôt que d'être confus face à cette situation qui est en train de se détériorer pendant que vous y réfléchissez, pourquoi ne pas demander de l'aide à Dieu en vous mettant à prier? Même si votre situation a besoin d'une solution physique et non de prières, selon vous, sachez que tant que Dieu n'a pas inspiré les médecins qui vous soignent, leur analyse en vue de trouver de quoi vous souffrez peut s'avérer infructueuse.

VAINCRE LES STRATÉGIES DE CAMOUFLAGE DE L'ENNEMI

L'ennemi sait que si le mal qu'il vous a causé est découvert, des remèdes compatibles vous seront prescrits pour l'éradiquer. Alors, malin qu'il est, il cache certaines maladies et les rend indétectables aux yeux de la science et des appareils de radiographie. Ainsi, la victime meurt chaque jour à petit feu, mais personne ne parvient à trouver une explication à son mal. Du coup, les analyses disent que la personne est en bonne santé, mais en réalité, elle meurt lentement chaque jour. Si elle a de la chance, son mal sera trouvé un peu plus tard. Pourtant, dans certains cas, aussitôt que son mal est trouvé et traité, un autre mal se déclenche. Ce sont des situations que nous voyons très régulièrement. Cependant, quand nous souffrons, peu importent les stratégies de dissimulation ou de camouflage de l'ennemi, l'esprit de Dieu peut nous relever la source du mal et le briser. Dieu a la capacité de guérir et de transformer la vie d'une personne, peu importe la gravité de sa situation, même si certains individus doutent de son existence. Peu importe les conceptions des uns et des autres au sujet de Dieu, il existe et demeure le seul Dieu capable de donner la vie où règne la mort. Le Dieu d'Abraham, d'Isaac et de Jacob peut vous donner la force, la motivation et le courage pour avancer là où les autres abandonnent si vous l'invoquez. Alors, n'hésitez pas à le faire. ***Deutéronome 8 V18.19*** *«Souviens-toi de l'Éternel, ton Dieu, car c'est lui qui te donnera de la force pour les acquérir, afin de confirmer, comme il le fait aujourd'hui, son alliance qu'il a jurée à tes pères.» V19 «Si tu oublies l'Éternel, ton Dieu, et que tu ailles après d'autres dieux, si tu les sers et te prosternes devant eux, je vous déclare formellement aujourd'hui que vous périrez.»*

DÉCOUVRIR LA RAISON

Le problème face auquel la plupart des personnes malades se retrouvent est l'ignorance de leurs maux et la méthode de prière ou le remède pouvant les affranchir. Certaines maladies sont détectables par les appareils de radiographie et d'analyse et peuvent être traitées. Toutefois, quand un mal a une source spirituelle, les appareils de radiographie ou d'analyse ne parviennent pas souvent à le détecter. Par contre, une fois la raison découverte, Dieu peut vous en délivrer, si vous priez avec sincérité. Beaucoup prient, mais peu sont sincères, raison pour laquelle ils ne vont pas jusqu'à leur guérison avant de baisser les bras. Pourtant, le Seigneur ne nous demande pas de prier de façon intermittente, mais de persister jusqu'à ce notre état vienne à changer. ***Souvenez-vous donc qu'aucune prière n'est suffisante tant que celle-ci n'a pas encore apporté de résultats.*** Si vous désirez votre guérison, vous ne devez jamais abandonner jusqu'à ce que celle-ci soit obtenue. Parce qu'une bataille abandonnée n'est jamais remportée, et un corps malade ne peut rien faire. Votre santé vaut de l'or. Alors, voici venu le moment de prier avec résolution jusqu'à ce que les choses changent au lieu que celles-ci déforment votre vie pour toujours.

CHAPITRE 6

Qu'est-ce qu'une malédiction ?

Deutéronome 23 V5 «*Mais l'Éternel, ton Dieu, n'a point voulu écouter Balaam; et l'Éternel, ton Dieu, a changé pour toi la malédiction en bénédiction, parce que tu es aimé de l'Éternel, ton Dieu.*»

Colossiens 2 V14.15 «*Il a effacé l'acte dont les ordonnances nous condamnaient et qui subsistait contre nous, et il l'a détruit en le clouant à la croix;*» V15 «*il a dépouillé les dominations et les autorités, et les a livrées publiquement en spectacle, en triomphant d'elles par la croix.*»

2 Samuel 16 V12 «*Peut-être l'Éternel regardera-t-il mon affliction, et me fera-t-il du bien en retour des malédictions d'aujourd'hui.*»

Proverbes 26 V2 «*Comme l'oiseau s'échappe, comme l'hirondelle s'envole, Ainsi la malédiction sans cause n'a point d'effet.*»

Définitions : Une malédiction est un état de malheur insurmontable qui vise à imposer un sort ou un destin néfaste à une personne. La malédiction est aussi la conséquence d'un rituel, d'un mauvais acte ou d'une parole, appelant les puissances divines à exercer leur action répressive contre un individu ou un groupe d'individus.

Objet de cette malédiction : Une malédiction agit comme un envoûtement, une barrière ou un malheur qui affecte une réputation et conduit les autres à s'éloigner de la victime au point de craindre de la fréquenter, de peur de partager sa malchance ou d'en être contaminés. Une malédiction agit aussi comme un champ magnétique qui influence sa victime de plusieurs manières qui sont les suivantes : soit elle attire les mauvaises choses dans sa vie, soit elle repousse les bonnes choses et les éloigne de sa vie. L'esprit d'une malédiction peut influencer le subconscient d'un individu au point de le pousser à prendre de mauvaises décisions sans s'en rendre compte. Il le motive à faire de mauvais choix dans la vie et à poursuivre des objectifs sans importance, rien que pour que sa vie se solde par la médiocrité. La malédiction endurcit le cœur de sa victime et la rend orgueilleuse, afin de l'empêcher d'écouter les bons conseils pouvant l'aider à rompre le sortilège. Ainsi, étant sous l'emprise d'une malédiction, un individu écoute de bons conseils, mais ne les applique jamais ; elle va d'échec en échec et de problème en problème chaque jour de sa vie, sans comprendre ce qui lui arrive.

⊂∞⊃

LES CAUSES DE LA MALÉDICTION

Deutéronome 11 V28 *«La malédiction, si vous n'obéissez pas aux commandements de l'Éternel, votre Dieu, et si vous vous détournez de la voie que je vous prescris en ce jour, pour aller après d'autres dieux que vous ne connaissez point.»*

Quand nous méditons le livre de la loi divine, la parole de Dieu nous montre clairement ce qui peut devenir la cause d'une malédiction dans la vie d'une personne. Cependant, aujourd'hui, nous sommes dans un monde où les gens ne se soucient pas des paroles qui sortent de leurs bouches et créent leur propre malheur en faisant des déclarations nuisibles. Entre 1995 et l'an 2000, un homme que je connaissais avait posé un acte qui lui avait coûté la vie. Dans son ignorance du fait que par sa propre parole, l'homme crée son malheur tout comme son bonheur, cet homme avait fait une déclaration qui lui avait coûté la vie. Après avoir été profondément blessé par sa femme, il avait pris un verre d'eau et avait publiquement déclaré que, si jamais il reprenait cette femme, qu'il meure au contact de l'eau. Il avait fait ce serment public rien que pour prouver aux personnes présentes ce jour-là qu'il ne reviendrait pas sur sa décision. Malheureusement, plusieurs mois plus tard, après que sa colère fut apaisée, les deux familles se sont retrouvées pour régler l'affaire sans toutefois rappeler à cet homme d'annuler sa déclaration avant d'entrer en contact avec sa femme ou de faire quoi que ce soit avec elle, parce qu'ils l'avaient tous oubliée. Quelques jours après avoir repris les activités conjugales avec celle-ci à la suite de leur réconciliation, l'homme tomba gravement malade et mourut quelques semaines plus tard, avant que sa famille ne se souvienne de ce qu'il avait déclaré, avec le regret de n'avoir pas vite pris conscience de cette réalité pour lui demander de l'annuler.

De temps autre, une personne peut déclarer certaines choses et les oublier, mais les forces du mal ne l'oublieront pas et attendront qu'elle viole sa propre parole pour la condamner et détruire sur la base de ses propres dires, comme le confirme ***Matthieu 12 V37*** en ces mots : ***«Car par tes paroles tu seras justifié, et par tes paroles tu seras condamné.»***

CONTRÔLER NOS PAROLES

Une personne qui ne contrôle pas ses paroles peut, de manière inconsciente, placer une malédiction d'échec, de retard, de rétrogradation et de mort prématurée sur sa propre vie ou celle d'une autre personne. Par contre, il existe aussi de nombreuses personnes conscientes des effets dévastateurs de la malédic-tion et qui l'utilisent comme arme spirituelle pour anéantir la vie de leurs victimes. Si certaines personnes créent leurs propres malheurs chaque jour et prétendent ne pas savoir ce qui ne va pas dans leur vie, ce sont leurs actes et paroles qui deviennent des malédictions pour faire obstacle à leur destinée sans qu'elles en soient conscientes, car il est écrit : «C'est *du fruit de sa bouche que l'homme rassasie son corps, c'est du produit de ses lèvres qu'il se rassasie.*» V21 «*La mort et la vie sont au pouvoir de la langue; quiconque l'aime en mangera les fruits.*» **Proverbes 18 V20.21**

Par contre, les causes de la malédiction peuvent varier en fonction de l'individu, son origine, sa culture, ses habitudes, ses péchés, ses crimes et les actes posés par ses ancêtres et parents. Une personne qui entre dans une secte, viole des femmes, raconte des mensonges, se prostitue, a des rapports sexuels hors mariage ou désobéit aux lois divines en général, serait aussi sous le poids d'une malédiction. Celui ou celle dont les parents ont été impliqués dans la traite des esclaves, ont fait des sacrifices humains ou des pactes avec le diable serait aussi affecté par une malédiction. Toutefois, la seule différence sera les conséquences dont ces personnes souffriraient en fonction de la gravité de l'acte posé et le prix à payer.

AUTRES CAUSES DE MALÉDICTIONS

- Les causes sont les suivantes : les adorations, les pactes et alliances signés par nos ancêtres et les parents peuvent aussi devenir une malédiction, s'ils ne sont pas confessés et brisés.

- Les promesses qu'ils ont faites aux idoles et aux fétiches qu'ils adoraient dans les temps anciens peuvent aussi pousser ses esprits en question à placer une malédiction sur leurs descendants, s'ils ne poursuivent pas les rituels et adorations que leurs ancêtres pratiquaient.

- Une personne peut être affectée par une malédiction à cause de ses propres péchés envers Dieu et les hommes. Par exemple, si elle ne paye pas ses dettes ou passe son temps à offenser les autres et à faire des déclarations négatives sur sa propre vie.

LA PUISSANCE D'UNE PAROLE

Notez bien que la puissance d'une parole peut avoir des effets dévastateurs tant que celle-ci n'est pas brisée ou décommandée. C'est pourquoi, quand vous avez une dette impayée envers une personne ou quand vous posez un acte envers elle, tout ce qu'elle dira dans son mécontentement pourra devenir une malédiction, si vous ne remboursez pas cette dette. La malédiction sans cause n'a pas d'effet comme la Bible le dit, mais aujourd'hui il existe de nombreuses choses qui peuvent devenir une cause de malédiction pour nous à notre insu. Voici pourquoi en Afrique ou dans certains pays, quand un vieillard ou un parent est en colère contre une personne à cause de ses actes, les sages conseillent à la personne concernée d'aller s'excuser auprès de celle qui a été offensée. S'il n'y a eu personne pour lui dire de le faire ou si la personne concernée ne prend pas conscience du problème que cela peut engendrer et n'entreprend pas de démarche en vue de s'innocenter, toutes paroles que le vieillard mécontent déclarera peuvent devenir des malédictions. Supposer par exemple qu'il la condamne sur la base de son acte, la personne qui l'a offensé ne réussira jamais dans la vie. Elle sera la même personne jusqu'à ce qu'elle trouve un moyen de se faire pardonner ou pour briser le sort.

Proverbes 3 V32.34 *«Car l'Éternel a en horreur les hommes pervers, mais il est un ami pour les hommes droits.» V33 «La malédiction de l'Éternel est dans la maison du méchant, mais il bénit la demeure des justes.» V34 «Il se moque des moqueurs, mais il fait grâce aux humbles.»*

- Une personne qui a fait un avortement et qui ne s'est pas repentie peut être sous le poids d'une malédiction qui aura pour conséquence l'impossibilité de concevoir de nouveau ou de réussir dans la vie. Malheureusement, un grand nombre de personnes vit chaque jour sous le poids des malédictions inconscientes et ne pourra s'en libérer qu'en payant la dette ou en faisant des prières pour y mettre fin. L'ignorance n'est pas une excuse. Si notre vie n'avance pas comme nous le souhaitons, il y a certainement une cause ; l'ignorer ne réglera pas le problème.

SORTIR DE L'IGNORANCE

«Vivre dans l'ignorance, c'est comme exister dans un monde sans lumière où les hommes renient leurs propres identités et se jugent en fonction des autres. Pourtant, quand nous découvrons qui nous sommes, nous ne rêvons plus de vouloir devenir une autre personne.»

EULOGE EKISSI

Lorsque nous découvrons que nous pouvons devenir mieux que ceux sur qui nous entreprenons de copier, nous visons plus haut que ceux qui représentent nos modèles. Malheureusement, l'ignorance de notre identité spirituelle et de notre but sur terre nous pousse à vouloir nécessairement ressembler aux autres. Néanmoins, la prise de conscience est un cadeau que Dieu nous offre pour nous permettre de découvrir notre destinée, de sortir de l'ignorance et de découvrir la source de nos problèmes, en vue de trouver des solutions.

«La prise de conscience est aussi comme une lumière qui jaillit soudain dans les ténèbres. Quand cette lumière frappe une personne, elle lui permet de trouver son chemin.»

EULOGE EKISSI

«Sans une prise de conscience, le monde dans lequel nous vivons n'est que néant, parce que nous ne savons pas qui nous sommes et où nous allons dans la vie.» C'est pour cela que beaucoup de gens ont décidé de sacrifier leur vie pour servir les autres, puisqu'ils ne savent pas qui ils sont selon le plan de Dieu.

«Il n'y a pas pire malédiction que celle de l'ignorance, car elle nous prive de notre destinée et prolonge notre misère.»

EULOGE EKISSI

LA MALÉDICTION DES PARENTS

La malédiction des parents peut être souvent héréditaire. Cette malédiction se transmet par le sang à tous ceux qui ont les mêmes liens de sang familial ou qui portent le même nom de famille. Elle peut être occasionnée par leurs adorations des idoles et fétiches et par les crimes commis par ceux-ci. Dans certains cas, une déclaration faite contre eux par leurs ennemis peut aussi affecter leurs descendants. La raison pour laquelle cette malédiction affecte tous ceux qui sont issus de la même famille est le lien de sang par lequel ils ont tous été conçus ou le lien du nom qu'ils portent tous. Notez bien que si l'une des personnes parmi celles de votre famille ayant été la première à porter le nom qui vous a été donné a commis un acte criminel ou fait une pratique occulte, les conséquences de ces actes suivront tous ceux qui porteront le même nom dans sa famille. ***Nombres 35 V18.19*** *«S'il le frappe, tenant à la main un instrument de bois qui puisse causer la mort, et que la mort en soit la suite, c'est un meurtrier : le meurtrier sera puni de mort.»* *V19* *«Le vengeur du sang fera mourir le meurtrier; quand il le rencontrera, il le tuera.»*

C'est pourquoi nous faisons souvent des rêves dans lesquels l'esprit du Seigneur, pour mieux nous orienter dans la prière, nous révèle certains de nos ancêtres ou parents décédés à cause des problèmes qu'ils ont orchestrés dans la famille. En effet, les actes posés par nos prédécesseurs peuvent devenir la base de la souffrance ou des malheurs auxquels nos familles font face. Le livre de **Psaume 11.3** *dit ceci : «Quand les fondements sont renversés, le juste, que ferait-il?»* Notre fondement représente la racine de notre vie, là où tout a commencé. La parole de Dieu veut donc dire que si depuis le commencement de notre famille, ou de notre existence des problèmes, des malédictions sont entrées dans notre famille ou dans notre vie, nous aurons du mal à prospérer.

LA SOURCE DE CERTAINS PROBLÈMES

Le problème est que les habitudes, l'attitude, les faiblesses, les fautes et les actes posés par nos ancêtres ou par nos parents peuvent rejaillir sur nous. C'est pour cela que les enfants héritent très souvent de la démarche, des dons, des talents, des défauts et des caractères de leurs parents. Résultat : tout le monde dans la famille expérimente les mêmes problèmes. Par contre, lorsque nous nous mettons à prier face à nos difficultés, l'Esprit de Dieu nous révèle ceux de qui proviennent nos problèmes, même s'ils sont morts avant notre naissance. C'est pour cela que nous voyons souvent des visages en rêve qui nous sont totalement étrangers. Seulement, certains ne le comprennent pas et pensent avoir vu l'esprit de mort. Quand un esprit est attaché au nom ou au sang d'une famille, il continuera de combattre tous ceux qui sont conçus à partir du même sang ou porte le même nom jusqu'à ce que l'un des membres de la famille concernée en prenne conscience et prie pour que Dieu l'aide à l'expulser.

Exode 34 V6.7 *«Et L'Éternel passa devant lui, et s'écria : L'Éternel, l'Éternel, Dieu miséricordieux et compatissant, lent à la colère, riche en bonté et en fidélité,»* V7 *«qui conserve son amour jusqu'à mille générations, qui pardonne l'iniquité, la rébellion et le péché, mais qui ne tient point le coupable pour innocent, et qui punit l'iniquité des pères sur les enfants et sur les enfants des enfants jusqu'à la troisième et à la quatrième génération!»*

LA MALÉDICTION ATTACHÉE AU NOM

Il nous arrive très souvent de donner à nos enfants les noms de certains membres de notre famille, tels que nos oncles, grands-parents, tantes, frères, etc. Nous allons parfois jusqu'à leur donner le nom de certains amis par tradition pour que ces personnes ne soient jamais oubliées. Pourtant, si nous le faisons sans prendre le temps de connaître le genre d'esprit qui a dirigé la vie de la personne dont le nom est emprunté, nous risquons de tisser une alliance inconsciente entre cette personne et notre enfant. Ce genre d'alliance peut inviter les mêmes esprits qui ont dirigé la vie de la personne à agir dans celle de notre enfant. Cela peut même inverser la destinée de l'enfant en question dans l'ignorance de ses parents. C'est pourquoi tous ceux qui portent les mêmes noms semblent vivre les mêmes histoires ou souffrent souvent des mêmes maladies et difficultés.

MALÉDICTIONS TRANSMISES

Nous pouvons aussi contracter des malédictions par les rapports que nous établissons avec certaines personnes qui souffrent déjà des effets de celle-ci, ou à travers les rapports intimes. Durant nos rapports, nous effectuons un transfert de sang. Et vu que nos ancêtres et parents vivent en nous par leur sang qui coule dans nos veines, toute personne dont la lignée familiale est affectée par une malédiction peut nous affecter au contact sexuel ou par le simple fait de marcher ensemble. Beaucoup se demandent pourquoi la présence de certaines personnes ne leur porte jamais chance. C'est simple : « qui s'assemble se ressemble. » Si vous marchez avec une personne qui vit sous le poids d'une malédiction d'échec, vous serez affectée par celle-ci. C'est pour cela que, souvent, nous souffrons de problèmes et de maladies dont personne n'a souffert dans notre famille, parce que nous les avons récoltés ailleurs sans le savoir. Dans certains cas, des personnes attirent des malédictions sur elles en prenant part à des pratiques occultes telles que le fétichisme, les rituels, les magies, etc. Mais, d'autres peuvent consciemment invoquer un esprit pour l'envoyer contre des gens par jalousie et la haine pour punir celle-ci. Dans certains cas, la méchanceté, les mensonges, le vol, l'adultère, l'avarice et bien d'autres actes peuvent aussi mettre une personne sous le poids d'une malédiction.

Proverbes 3 V32.34 *«Car l'Éternel a en horreur les hommes pervers, mais il est un ami pour les hommes droits.» V33 «La malédiction de l'Éternel est dans la maison du méchant, mais il bénit la demeure des justes.» V34 «Il se moque des moqueurs, mais il fait grâce aux humbles.»*

Malachie 2 V2 *«Si vous n'écoutez pas, si vous ne prenez pas à cœur de donner gloire à mon nom, dit l'Éternel des armées, J'enverrai parmi vous la malédiction, et je maudirai vos bénédictions; oui, je les maudirai, parce que vous ne les avez pas à cœur.»*

COMMENT CERTAINES PERSONNES PARVIENNENT-ELLES À PLACER UNE MALÉDICTION SUR LEURS PROCHAINS ?

La façon dont une malédiction peut être placée sur la vie d'une personne peut varier en fonction de l'acte qu'elle a posé ou des pratiques que l'on a faites contre elle. En général, le péché est l'une des causes les plus courantes de la malédiction. L'une des raisons pour lesquelles la malédiction sans cause n'a pas d'effet est qu'un esprit de malédiction envoyé contre une personne ne peut l'atteindre si cette personne n'a rien fait de mal. Mais vu que nous sommes conçus à partir du sang de nos ancêtres et de nos parents qui nous lient de manière indirecte à certains de leurs actes et de leurs crimes sans le savoir, leurs actes peuvent devenir une cause de malédictions dans notre vie.

Exode 34 V6.7 *«Et l'Éternel passa devant lui, et s'écria : L'Éternel, l'Éternel, Dieu miséricordieux et compatissant, lent à la colère, riche en bonté et en fidélité,»* V7 *«qui conserve son amour jusqu'à mille générations, qui pardonne l'iniquité, la rébellion et le péché, mais qui ne tient point le coupable pour innocent, et qui punit l'iniquité des pères sur les enfants et sur les enfants des enfants jusqu'à la troisième et à la quatrième génération !»*

«Le comportement d'un homme est comme le fruit d'un arbre qui révèle sa vraie nature. S'il souffre d'une malédiction, le résultat de sa vie le déterminera.»

EULOGE EKISSI

N'oublions pas que le péché est une violation des lois divines, et que le non-respect de cette loi peut avoir pour conséquence des malédictions et des tragédies. En plus, nous venons tous de différentes familles que nous pouvons considérer comme étant des arbres et dont nous sommes les fruits. Ces arbres ont des racines, des troncs et des branches qui représentent, par exemple, les premiers hommes que Dieu a créés dans notre famille jusqu'à nos parents et nous. Les actes posés par nos ancêtres et nos parents peuvent aussi nous affecter s'il y a des malédictions qui y sont rattachées. Ainsi, le cycle continuera de génération en génération jusqu'à ce que cette malédiction soit révoquée. Voilà pourquoi, quand nous entrons dans une famille, nous constatons que tout le monde a quasiment le même comportement et souffre des mêmes problèmes. Si par exemple, le père aime mentir, les enfants deviennent aussi des experts en mensonge. Si la mère est autoritaire et a un esprit de domination et de colère, ses enfants développeront les mêmes problèmes à cause du sang qui les a conçus. Voici d'où vient la malédiction de famille.

COMMENT SAVOIR SI NOUS SOMMES AFFECTÉS PAR UNE MALÉDICTION ?

Selon des experts, une malédiction agit comme un envoûtement «négatif», un malheur qui agit sur une réputation, qui pousse les autres à se méfier de la victime au point de craindre de la fréquenter face à la possibilité d'être contaminés et d'avoir à partager son malheur. Comme je l'ai déjà dit, certaines malédictions peuvent être causées par notre désobéissance envers Dieu, notre mode de vie, nos crimes et les paroles négatives envoyées contre nous ou celles qui sortent de notre bouche. ***Deutéronome 11 V28*** *«La malédiction, si vous n'obéissez pas aux commandements de l'Éternel, votre Dieu, et si vous vous détournez de la voie que je vous prescris en ce jour, pour aller après d'autres dieux que vous ne connaissez point.»*

Il est donc très important de chercher à comprendre les événements qui se déroulent dans notre vie pour savoir si notre situation résulte d'une malédiction, afin d'éviter que certaines choses ne deviennent un obstacle à notre progrès. Les effets d'une malédiction peuvent souvent être subtils au point que les gens vous évitent, vous rejettent et vous détestent sans savoir pourquoi ils le font. Par exemple, une femme sous l'effet d'une malédiction verra son mari être très gentil et généreux avec d'autres personnes en dehors du foyer, mais devenir très dur avec elle à la maison. La malédiction dans la vie d'une personne fait que ceux à qui elle demande de l'aide fabriquent de fausses excuses et des mensonges pour voiler leur manque de volonté à l'aider. Cependant, la grâce de Dieu incline tous les cœurs en sa faveur et lui ouvre les portes même quand elles sont fermées aux autres. Alors, si notre vie semble être sous l'influence d'une puissance négative qui nous fait tourner en rond dans la vie, nous devons apprendre à faire des prières prophétiques pour briser toutes sortes de malédictions qui rongent notre destinée. Si le fer coupe le fer, un acte en annule un autre, et une parole en brise une autre, tout comme la prophétie annule une malédiction.

La malédiction en elle-même a le potentiel d'une prophétie, mais elle est néfaste par rapport à une bonne prophétie, qui vise à restaurer. La prophétie a un temps fixe pour se réaliser, tout comme la malédiction ; elle peut aussi attendre une circonstance pour agir contre celui ou celle contre qui elle a été envoyée. C'est pour cela qu'il arrive toutes sortes de malheurs et de problèmes à certaines personnes, chaque fois qu'elles désirent réaliser certaines choses. ***Habacuc 2 V2.3*** *nous dit : «L'Éternel m'adressa la parole, et il dit : écris la prophétie : grave-la sur des tables, afin qu'on la lise couramment.» V3 «Car c'est une prophétie dont le temps est déjà fixé, elle marche vers son terme, et elle ne mentira pas ; si elle tarde, attends-la, car elle s'accomplira, elle s'accomplira certainement.»*

APPRENDRE À SE BÉNIR

«Apprendre à déclarer de bonnes paroles sur soi-même nous permet d'inverser toutes les condamnations prononcées sur nous par nos adversaires.»

EULOGE EKISSI

Tant que vous ne savez pas faire des prières prophétiques, vous ne serez pas à mesure d'inverser les condamnations et interdictions déclarées contre vous par vos ennemis. Et vu que tout arbre que l'on plante finit par grandir jusqu'à ce qu'il soit coupé, toute malédiction plantée dans votre vie finira par grandir au point de paralyser votre destinée, si vous ne parvenez pas à la briser en déclarant des paroles de bénédiction sur vous-mêmes.

COMMENT RECONNAÎTRE UNE PERSONNE SOUS L'EMPRISE DE LA MALÉDICTION ?

1. Une personne sous l'effet d'une malédiction se sacrifie pour les autres, mais ne trouve personne à son tour pour l'aider.

2. Elle souffre pour avoir ce qu'elle désire et semble tourner en rond dans la vie.

3. À peine annonce-t-elle une bonne nouvelle, que les problèmes commencent.

4. Tous ceux qui tentent de lui venir en aide se retrouvent, eux aussi dans les difficultés au point de ne plus avoir les moyens ou le courage pour l'aider.

5. L'esprit d'une malédiction dans la vie d'un tel individu a pour mission de le punir en faisant obstacle à tout ce qui peut l'aider à prospérer.

6. Donc, tous ceux qui tenteront d'aider une personne sous l'emprise d'un esprit de malédiction seront aussi combattus par les forces qui combattent la destinée de celle-ci.

C'est pour cela, lorsque nous décidons d'aider certains, que nous commençons à faire face à des difficultés dès que nous leur faisons part de nos intentions. Cela est une preuve qu'il existe des forces qui ne souhaitent pas le bonheur de la personne en question. Dès lors, si vous constatez que la présence d'une personne vous porte la poisse et provoque des malheurs, sachez qu'il existe des forces qui combattent sa destinée. ***1 Corinthiens 15 V33.34*** *«Ne vous y trompez pas : les mauvaises compagnies corrompent les bonnes mœurs.» V34 «Revenez à vous-mêmes, comme il est convenable, et ne péchez point ; car quelques-uns ne connaissent pas Dieu, je le dis à votre honte.»* Aussi, si vous constatez que chaque fois que vous prenez une décision importante des problèmes commencent, sachez que cela arrive quand il existe une malédiction dans votre vie ou quand votre choix ne correspond pas à la volonté de Dieu pour vous. Si votre vie semble tourner en rond, si malgré vos efforts rien ne bouge, vous devez tout de suite chercher à comprendre la source de vos problèmes et passer à l'action en faisant des prières prophétiques pour mettre fin à tout ce qui vous rend la vie impossible, car attendre ne fera qu'aggraver les choses.

«Attendre le meilleur moment est la meilleure façon d'échouer.»

WAYNE DYER

Si vous attendez le meilleur moment, il se peut qu'il n'arrive jamais. En fait, le meilleur moment pour agir, c'est quand l'occasion se présente ou quand nous la créons. Si vous avez besoin de conseils, écrivez-nous à ***eulogeekissi@yahoo.com, prieresenligne@gmail.com*** ou visitez l'un de nos sites web pour plus d'informations au ***www.eulogekissi.com, www. onlineprayers.ca ou sefl-motivationbooks.com*** et nous vous aiderons avec plaisir. Souvenez-vous qu'il n'y a pas de fumée sans feu et qu'il ne se passe rien sans qu'un acte ait été commis au préalable. Par exemple, si votre véhicule de destinée semble ne pas avancer malgré votre accélération et un changement de vitesse, il vous sera profitable de trouver l'obstacle pour l'enlever au lieu de forcer les choses. Seule la bonne formule de prière nous permet d'avancer. *«**Donc, souvenez-vous que rien ne détruit nos chances plus qu'une mauvaise décision au bon moment.***»* La vie n'est pas aussi courte que nous le disons, mais les gens tardent à découvrir la vérité concernant leur destinée, et à prendre de bonnes décisions, à comprendre, à prendre conscience de ce qu'il leur faut pour réussir ici-bas.

«Dans l'attente, rien ne devient réalité, car c'est dans l'action que nous donnons vie à nos rêves les plus fous.»

EULOGE EKISSI

«Il faut une infinie patience pour attendre toujours ce qui n'arrive jamais.»

PIERRE DAC

127

Voici d'autres signes pour reconnaître les effets d'une malédiction dans la vie d'une personne affectée par celle-ci.

1. Quand une malédiction agit contre une personne, des problèmes surviennent dès qu'elle reçoit de l'argent et ne cessent que lorsqu'elle a gaspillé toute la somme reçue.

2. Une telle personne a du mal à avoir ce que d'autres personnes obtiennent facilement et sans effort.

3. Elle est toujours rejetée, oppressée sans raison valable et ne se sent pas en harmonie avec les gens qui l'entourent.

4. Elle a souvent de belles occasions, mais ne parvient jamais à avoir les moyens de les saisir.

5. Elle arrive toujours en retard pour les bonnes choses et de bonnes affaires lui filent entre les doigts.

6. Quand elle annonce un projet ou une bonne nouvelle, même si ce projet ou cette bonne nouvelle est sur le point de se réaliser, un problème se présente pour la ramener au point de départ.

7. Quand une personne de son entourage à la gentillesse de lui faire une promesse, celle-ci n'a plus envie de la voir et finit par l'éviter ou par couper contact d'avec elle.

8. Une personne qui souffre des effets d'une malédiction se bat pour les autres, mais ne trouve personne pour l'aider à son tour.

9. Les gens se servent d'elle, mais ne lui accordent pas d'importance après avoir obtenu ce qu'ils cherchaient.

10. Elle prend de mauvaises décisions et semble toujours tourner en rond dans la vie, sans comprendre ce qui lui arrive.

11. Elle a toujours les mêmes difficultés et semble répéter les mêmes histoires chaque année, sans changement positif.

12. De manière consciente ou inconsciente, cette personne se retrouve toujours au mauvais endroit et dans les mauvaises circonstances, et n'a pas de bons amis pouvant la tirer d'affaire en cas de problème.

13. Même si elle a quelques connaissances fortunées pouvant l'aider, celles-ci n'accordent aucune priorité à ses problèmes et peuvent mettre plusieurs jours à retourner son appel, dans plusieurs cas, jamais.

14. Elle tombe souvent malade et fait de très mauvais rêves au seuil de ses miracles.

15. Elle n'a pas de bonnes idées pouvant générer des profits et de nouvelles sources de revenus.

16. Elle a un esprit de créativité limité et obtient rarement le respect de ceux qui l'entourent.

17. Même si par la grâce de Dieu, elle parvient à obtenir une bonne chose, cette chose ne dure pas et elle finit par la perdre ou la gâcher.

18. Sa vie entière est une bataille interminable et l'échec semble être son compagnon de vie.

19. Sa présence met les gens mal à l'aise et tout le monde semble la fuir quand elle a besoin d'aide.

20. Quel que soit le progrès de vos projets et de votre vie, quand une personne victime d'une malédiction s'associe à vous, des problèmes, des disputes et des blocages surviennent et plus rien n'avance facilement à tel point que vous semblez vous retrouver au pied d'un mur. Alors, réfléchissez-y.

LA BONNE NOUVELLE

Quels que soient les dégâts causés dans la vie d'une personne par des malédictions, elle peut régler ses problèmes par des prières prophétiques. La malédiction est une arme utilisée très régulièrement par les forces des ténèbres et les agents de la sorcellerie pour inviter des esprits méchants à anéantir la vie de la personne ciblée. Cependant, la prophétie peut nous aider à rétablir tout ce que ces esprits négatifs ont paralysé, bloqué et détruit.

CHAPITRE 7

Comment prophétiser pour activer votre potentiel ?

Définition de la prophétie : Prophétiser, c'est prédire l'avenir par intuition divine. Comme la Bible nous le démontre, une prophétie peut avoir pour sujet les hommes ou les nations auxquelles Dieu adresse des prédictions les concernant. Prophétiser c'est non seulement révélé ou annoncé ce qui doit arriver dans la vie d'autrui, mais aussi dans notre propre vie. Prophétiser, c'est être un Prophète, c'est aussi parler sous l'inspiration divine ou prédire les choses pour leur donner vie.

ᔐ

COMMENT PROPHÉTISE-T-ON ?

On prophétise avec l'idée d'annoncer les événements futurs. Quand nous observons bien la définition du mot prophétie, nous comprenons que c'est aussi l'acte de déterminer ce que nous voulons qu'il arrive dans l'avenir et dans un temps précis. Il y a cependant deux (2) façons de prophétiser :

1. **Annoncer des prophéties concernant des choses prévues par Dieu, que Dieu lui-même nous révèle.**

2. Prophétiser pour créer ce que nous désirons, pour restaurer une situation et donner vie à de nouvelles choses.

Ainsi, une personne peut-elle prophétiser pour créer un Nouveau Monde, une nouvelle vie et restaurer certaines choses. Pour corroborer l'idée selon laquelle, la prophétie a le pouvoir de restaurer notre vie et certaines choses nous concernant, voyons ce qui s'est passé dans la Bible lorsque Ézéchiel eut prophétisé sur les ossements desséchés : *«Il me dit : Prophétise, et parle à l'esprit! Prophétise, fils de l'homme, et dis à l'esprit : Ainsi parle le Seigneur, l'Éternel : Esprit, viens des quatre vents, souffle sur ces morts, et qu'ils revivent! V10 «Je prophétisai, selon l'ordre qu'il m'avait donné. Et l'esprit entra en eux, et ils reprirent vie, et ils se tinrent sur leurs pieds : c'était une armée nombreuse, très nombreuse.»* ***Ézéchiel 37 V9.10.***

Tout comme Ézéchiel a prophétisé pour la restauration des ossements desséchés, comme nous venons de le lire, ce livre vous apprendra à prophétiser pour briser les malédictions tenaillant votre destin et vous permettra également de contrôler les circonstances, plutôt que d'être contrôlé(e) par celles-ci, puisque c'est vous qui les créez. *«Car c'est du fruit de la langue qu'un homme crée son propre Destin »;* selon le livre de ***Proverbes 18 V20.*** *«C'est du fruit de sa bouche que l'homme rassasie son corps, c'est du produit de ses lèvres qu'il se rassasie»* et *«La mort et la vie sont au pouvoir de la langue; quiconque l'aime en mangera les fruits»* ***Proverbe V18.21,*** *édition revue de Louis Segond.*

DÉCOUVREZ LA PUISSANCE CRÉATIVE DE LA PROPHÉTIE

Habacuc 2 V2 *«Car c'est une prophétie dont le temps est déjà fixé. Elle marche vers son terme, et elle ne mentira pas; si elle tarde, attends-la, car elle s'accomplira, elle s'accomplira certainement.»*

La prophétie a le pouvoir de transformer la vie d'une personne, qu'elle soit négative ou positive. Son impact peut s'étendre sur une longue période, voire des millénaires. Mais la chose la plus importante, dans l'acte de prophétiser, est que cela nous permet de réécrire notre destinée et de nous diriger sur la voie que nous désirons. En plus des promesses de Dieu pour nous concernant les temps à venir, nous pouvons aussi déclarer certaines paroles prophétiques positives sur nous-mêmes pour établir certaines choses que nous désirons. En méditant le livre de **Jérémie,** nous réalisons que le Seigneur dit qu'il a mis sa parole dans notre bouche et qu'il nous a établis sur les royaumes et les nations pour planter, détruire et établir par le pouvoir de la parole de notre langue. **Jérémie 1 V10** *«Regarde, je t'établis aujourd'hui sur les nations et dans les royaumes, pour que tu arraches et que tu abattes, pour que tu ruines et que tu détruises, pour que tu bâtisses et que tu plantes.»*

Revoyons le livre de **Proverbes 18 V20.21**. Dieu nous dit ceci : *«C'est du fruit de sa bouche que l'homme rassasie son corps, c'est du produit de ses lèvres qu'il se rassasie.»* V21 *«La mort et la vie sont au pouvoir de la langue; quiconque l'aime en mangera les fruits.»*

En analysant ces deux passages bibliques ci-dessus, vous réalisez que le Seigneur fait référence aux paroles par lesquelles une personne peut détruire ou créer sa destinée. Malheureusement, beaucoup l'ignorent et ne déclarent rien de bon sur leur vie, que des paroles dévastatrices par lesquelles ils détruisent leurs chances de réussir chaque jour. Depuis le commencement des temps, l'être humain est conscient du fait que le pouvoir de la créativité et de la destruction de tout ce qui existe sur terre est dans la parole. Par contre, le problème est que beaucoup ignorent que c'est par leurs propres prières que leurs rêves deviendront réalité.

EXEMPLE À SUIVRE

Ésaïe 45 V1.3 *«Ainsi parle l'Éternel à son oint, à Cyrus, qu'il tient par la main pour terrasser les nations devant lui, et pour relâcher la ceinture des rois, pour lui ouvrir les portes, afin qu'elles ne soient plus fermées;»* **V2** *«Je marcherai devant toi, j'aplanirai les chemins montueux, je romprai les portes d'airain, et je briserai les verrous de fer.* **V3** *«Je te donnerai des trésors cachés, des richesses enfouies, afin que tu saches que je suis l'Éternel qui t'appelle par ton nom, le Dieu d'Israël.»*

Pour nous donner un exemple à suivre au cas où nous voudrions raviver, restaurer, créer tout ce que nous désirons, Dieu a utilisé le cas d'Ézéchiel pour nous faire une démonstration de ce qu'une prophétie peut apporter en matière de restauration de la vie en général. Cependant, bien des personnes continuent de se détruire chaque jour avec des paroles négatives qui sortent de leurs bouches. Certaines déclarations peuvent agir comme des prophéties. C'est pourquoi ceux qui passent tout leur temps à se traiter de bons à rien ou qui se laissent influencer par des paroles de gens qui disent qu'ils ne seront rien dans la vie ne prospèrent jamais.

«Le corps est comme un arbre qui se reproduit selon le genre d'engrais que lui fournit la terre. Dès lors qu'une parole est acceptée, le corps commence à reproduire ses fruits.»

EULOGE EKISSI

Proverbes 15 V29.30 *«L'Éternel s'éloigne des méchants, mais il écoute la prière des justes.»* **V30** *«Ce qui plaît aux yeux réjouit le cœur; une bonne nouvelle fortifie les membres.»*

Prenons l'exemple d'une personne malade. Plus les prédictions des médecins au sujet de sa maladie deviennent négatives, plus cette personne sombre dans un état de dépression rien qu'en acceptant le fait qu'elle ne vivra pas longtemps. Si vous voyez que la maladie d'une personne s'aggrave aussitôt qu'elle reçoit l'annonce de ce qui a été découvert en elle, c'est à cause du fait qu'elle l'a acceptée et a décidé de se laisser ronger par ses propres pensées. Même si les choses ne sont pas pires, souvent les dires des médecins amènent l'état de certains à se détériorer. Pourtant, si vous dites à une personne que tout va bien même si ce n'est pas le cas, vous la verrez sourire et prête à relever de nouveaux défis.

⌘

VAINCRE LA PEUR

Vaincre la peur nous donne la possibilité de réussir. La peur tétanise le corps, mais une bonne nouvelle lui redonne la vie. La parole de Dieu nous dit en **Proverbes 15 V30** que *«Ce qui plaît aux yeux réjouit le cœur; une bonne nouvelle fortifie les membres.»* Alors, quand une nouvelle ne contribue pas à encourager, elle contribue à détruire celui ou celle qui la reçoit, à cause de la peur, qui l'envahit à l'annonce de celle-ci. C'est pourquoi ceux qui jugent nos rêves et nous découragent nous font plus de mal que de bien, car ils nous démotivent et détruisent nos visions. Quand une personne n'a pas le courage de poursuivre son rêve, ne lui donnez pas la chance de critiquer le vôtre, parce que si elle n'a pas eu la force de faire ce que vous faites, c'est plutôt de vous qu'elle doit recevoir des conseils. Conjecturez en vous-même, car le fait d'avoir eu le courage de rêver et de commencer à le réaliser montre que vous êtes spécial et que vous avez déjà surmonté les obstacles que certains n'ont pas eu l'audace de vaincre, raison pour laquelle ils continuent de dormir pour rêver au lieu de se lever pour réaliser leurs désirs.

«L'audace n'est ni une question d'orgueil ni de fierté, mais la capacité à se valoriser, à se croire capable de tout réaliser, et d'avoir le courage de tout essayer.»

EULOGE EKISSI

« Le fait que vous soyez déjà en train de marcher vers votre but prouve que vous êtes un vainqueur. Alors, n'offrez pas vos rêves aux gens sans vision pour les briser, parce qu'ils risquent d'écrire votre histoire aussi petite qu'ils la voient. »

EULOGE EKISSI

CONTRÔLER NOS PAROLES

« En contrôlant nos paroles, nous contrôlons et protégeons notre destinée »

EULOGE EKISSI

Certains ont développé la mauvaise habitude de ne dire que de mauvaises paroles sur leur propre vie, ne sachant pas que c'est avec ces mauvaises déclarations que le diable et ses agents font obstacle à leur destinée. Si vous dites, par exemple, que vous n'êtes pas sûr de guérir de votre maladie, le jour où Dieu enverra un ange pour vous guérir, votre déclaration servira de motif au diable pour barrer le chemin à l'ange envoyé pour votre délivrance. Pourquoi? Parce que selon la loi divine, une personne est justifiée et condamnée selon sa parole. Ce qui signifie que si nous ne croyons pas pouvoir obtenir quelque chose, le fait de le déclarer donnera le droit à l'ennemi de nous l'arracher. *Car il est écrit,* **en Matthieu 12 V36.37 :** *« Je vous le dis : au jour du jugement, les hommes rendront compte de toute parole vaine qu'ils auront proférée. »* V37 *« Car par tes paroles tu seras justifié, et par tes paroles tu seras condamné. »*

NOS PAROLES COMPTENT EN TOUT TEMPS

Il est très important de savoir que ce n'est pas en priant seulement que nos paroles sont prises en compte par le ciel. Tout ce que nous disons chaque jour sert à construire notre vie et finira par donner naissance à quelque chose de positif ou de négatif dans notre futur en fonction des paroles que nous prononçons le plus. Nous devons donc contrôler tout ce que nous disons pour ne pas donner au diable le droit de nous condamner avec ce que nous déclarons quand les choses vont mal. Au contraire, quand les choses vont mal, nous devons proclamer qu'elles vont bien. Ainsi, nous pourrons vite les redresser. Alors, quand nous proférons des paroles négatives, sans le savoir, nous contribuons à notre propre destruction. C'est pour cela que certains vont à l'église et prient contre l'ennemi, mais leur vie n'avance pas, puisqu'ils ont pour ennemi que le démon en eux-mêmes qui les pousse à détruire leur propre destinée par des paroles négatives. Les paroles qu'une personne déclare chaque jour contribuent soit à la construction soit à la destruction de sa destinée. C'est pourquoi toutes les mauvaises confessions que nous faisons dans le présent risquent de devenir des prophéties qui nous rattraperont dans le futur. C'est aussi pour cette raison que certains traversent des moments difficiles à cause des paroles négatives, qui sont sorties de leurs bouches.

SE FRAYER UN CHEMIN POUR RÉUSSIR

Ésaïe 57 V14 *«On dira : Frayez, frayez, préparez le chemin, enlevez tout obstacle du chemin de mon peuple ! »*

Si nous voulons avoir une destinée sans obstacle, apprenons à balayer notre chemin par des paroles créatives et non des déclarations qui aideront le diable à rebâtir les murs que nous tentons de briser. Quand, au lieu de confesser des paroles de foi et de motivation, nous faisons des déclarations telles que : «Cette situation ne va pas changer ; » «Je sens que les choses n'avancent pas, » «Vu la façon dont les choses vont entre X et moi, je ne pense pas que nous parviendrons à nous marier, » «Je suis trop âgé pour avoir une nouvelle chance de réaliser mon rêve. », «Les choses sont tellement difficiles, de nos jours, que je ne sais pas si je parviendrai à trouver le moyen de réaliser mon projet.», ainsi créons-nous notre propre désastre sans le savoir. Peu importe ce que nous pensons, quand les choses ne vont pas comme nous le souhaitons, nous devons nous garder de dire certaines choses qui risqueraient de faire obstacle à nos désirs. Apprendre à prophétiser la restauration, la vie et le succès devient la meilleure chose à faire face à nos difficultés.

DONNER VIE AU MIRACLE

«Tout ce qui arrive est d'abord spirituel avant de se manifester physiquement.»

EULOGE EKISSI

Après l'analyse de tous les incidents que nous voyons en rêve, ou de tous les événements que nous présentons avant leurs manifestations, nous pouvons déduire que certaines choses sont d'abord spirituelles avant qu'elles ne se manifester physiquement. Le fait de confesser les paroles négatives que le diable met dans notre bouche détruit notre destinée. Mais quand nous prophétisons comme Ézéchiel l'a fait, même si notre situation semble désespérée, Dieu peut la ramener à la vie si nous croyons en ce que nous disons, parce qu'avec Dieu, tout est possible et rien n'est impossible à celui qui croit. **Ezéchiel 37 V7.10** *«Je prophétisais, selon l'ordre que j'avais reçu. Et comme je prophétisais, il y eut un bruit, et voici, il se fit un mouvement, et les os s'approchèrent les uns des autres.» V8 «Je regardai, et voici, il leur vint des nerfs, la chair crût, et la peau les couvrit par-dessus; mais il n'y avait point en eux d'esprit.» V9 «Il me dit : Prophétise, et parle à l'esprit! Prophétise, fils de l'homme, et dis à l'esprit : Ainsi parle le Seigneur, l'Éternel : Esprit, viens des quatre vents, souffle sur ces morts, et qu'ils revivent!» V10 «Je prophétisai, selon l'ordre qu'il m'avait donné. Et l'esprit entra en eux, et ils reprirent vie, et ils se tinrent sur leurs pieds : c'était une armée nombreuse, très nombreuse.»*

ÉLIMINER LES PROPHÉTIES INCONSCIENTES

Sans savoir que toute parole qui sort de notre bouche peut devenir une prophétie qui attendra le bon moment pour se manifester, certains sont parvenus à créer un monde sombre où il n'y a ni paix ni joie, dans lequel ils s'enfoncent chaque jour avec leurs paroles et leurs pensées négatives que j'appelle les prophéties inconscientes. En effet, les jugements, les condamnations et les blâmes que nous laissons entrer dans nos pensées en écoutant les autres et le fait de nous apitoyer sur nous-mêmes bloquent les plans de Dieu pour nous. L'erreur que nous faisons tous en nous jugeant nous-mêmes est que nous condamnons notre destin à échouer. Et si nous le faisons, ce n'est pas le diable et ses agents qui nous feront faveur. Quand une personne se laisse dominer par des pensées négatives au point de devenir son propre juge, le diable et ses agents ne pourront que l'aider à se condamner. L'une des raisons pour lesquelles l'ennemi réussit à rendre les choses difficiles est qu'il nous pousse nous-mêmes à nous livrer à lui. Il peut nous arriver de penser certaines choses quand tout va mal, mais par sagesse, ne les déclarons pas, même si certains nous poussent à le faire.

Psaume 4 V3.4 *« Sachez que l'Éternel s'est choisi un homme pieux ; L'Éternel entend, quand je crie à lui. » V4 « Tremblez, et ne péchez point ; parlez en vos cœurs sur votre couche, puis taisez-vous. »*

COMMENT LE DIABLE SE SERT-IL DE NOS PROCHES POUR NOUS PIÉGER ?

Jérémie 9 V3.5 *« Ils ont la langue tendue comme un arc et lancent le mensonge ; ce n'est pas par la vérité qu'ils sont puissants dans le pays ; car ils vont de méchanceté en méchanceté, et ils ne me connaissent pas, dit l'Éternel. » V4 « Que chacun se tienne en garde contre son ami, et qu'on ne se fie à aucun de ses frères ; car tout frère cherche à tromper, et tout ami répand des calomnies. » V5 « Ils se jouent les uns des autres, et ne disent point la vérité ; ils exercent leur langue à mentir, ils s'étudient à faire le mal. »*

La première fois que l'être humain avait perdu sa crédibilité devant Dieu, cela n'a été possible que lorsque le diable eut poussé la femme à induire son mari en erreur. Samson avait été lui aussi piégé par sa propre femme et dépouillé de tous ses pouvoirs. En regardant ce siècle présent, nous constatons que la stratégie du diable n'a pas changé, puisqu'il utilise toujours nos proches pour nous pousser à dire des choses et à commettre certains actes lui permettant d'avoir accès à notre vie pour nous détruire. C'est pourquoi en voyant l'attitude et le caractère de certains de nos proches, ils nous donnent l'impression de forcément vouloir nous mettre en colère. Si nous n'ouvrons pas nos yeux pour comprendre qu'ils ne sont que des personnes manipulées par le diable pour devenir notre occasion de chute, nous risquons de nous laisser piéger.

Le jour où vous voyez une personne s'excuser en disant qu'elle ne sait pas ce qui l'a poussée à agir comme elle l'a fait, sachez qu'un autre maître a régné sur elle ce jour-là pour la pousser à poser cet acte qu'elle regrette. N'oublions pas que le diable ne viendra pas vêtu en tenue noire avec une queue comme certains se l'imaginent, mais il vient dans nos pensées pour les manipuler. Il pousse les gens à nous décourager et à nous induire en erreur, surtout quand il sait que nous sommes sur la bonne voie. Il multiplie ses attaques en utilisant le plus de personnes possibles pour nous dire les mêmes choses. Ainsi, étant minoritaires par rapport à ce que nous pensons, nous finissons par croire que nous avons tort, étant seuls face à plusieurs personnes qui disent les mêmes choses. Pourtant, le fait que les gens sont nombreux à penser le contraire de ce que nous disons ne veut pas nécessairement dire qu'ils ont raison, car tout le monde peut se tromper. Il est vrai que, souvent, l'opinion de la majorité compte. Mais dans certains cas, la majorité peut se tromper si elle n'a pas la même révélation que la vôtre de la part de Dieu. C'est pour cela que certaines personnes ont eu des visions auxquelles de nombreuses personnes n'ont pas cru, mais sont parvenues à leur prouver le contraire.

PROTÉGER NOS RÊVES

«Nous devons protéger nos rêves, si nous voulons les voir se matérialiser»

EULOGE EKISSI

Lorsqu'un homme avait annoncé qu'il rêvait de créer un appareil par lequel on pourrait envoyer un message par l'air, il s'est retrouvé à l'hôpital psychiatrique parce que ses proches pensaient qu'il perdait la raison. Mais aujourd'hui, cette personne fait partie des meilleurs inventeurs que la terre n'ait jamais connus. Vos pensées, vos rêves et vos projets peuvent souvent paraître absurdes aux yeux des gens qui vous entourent, mais sachez que ce n'est pas une raison suffisante pour les laisser vous détourner de vos objectifs, surtout quand Dieu vous a déjà fait part de ses projets pour vous. Il est donc important de protéger vos rêves et de ne pas les divulguer jusqu'à leur réalisation. Dans tout ce que j'ai réalisé dans ma vie, il y a toujours eu quelqu'un que le diable a voulu utiliser pour me dire que ce que je désirais accomplir n'allait jamais marcher. Pourtant, aujourd'hui, grâce à Dieu, je suis parvenu à prouver le contraire aux gens sans vision que le diable voulait utiliser pour étouffer ma destinée et cela vous arrivera chaque fois que vous aurez des chances de faire du progrès.

LES MÊMES HISTOIRES SE RÉPÈTENT CHAQUE JOUR

Un jour, un ami voulait faire sa demande de visa pour immigrer au Canada dans l'espoir de reconstruire sa vie. Néanmoins, après avoir expliqué son rêve à son compagnon, celui-ci lui a déclaré qu'il était trop vieux et avait peu de chances de réussir dans un pays étranger, en ajoutant qu'il serait profitable de rester dans son pays d'origine. Aujourd'hui, malgré les commentaires nuisibles de son camarade, cet ami a réussi à aller au Canada et sa vie a changé positivement. L'ironie du sort est qu'il a désormais un travail stable et mène une vie plus paisible que celle qu'il menait autrefois, alors que c'est celui qui le décourageait lorsqu'il nourrissait l'envie de réaliser son rêve qui l'appelle de temps en temps pour lui demander de l'aide financière.

«Tout le monde rêve de réussir ici-bas, mais peu parmi ces rêveurs sont des visionnaires. C'est pour cela que beaucoup de personnes voient des obstacles là où nous pensons pouvoir tracer un chemin pour réaliser nos désirs.»

EULOGE EKISSI

MA PREMIÈRE MÉDAILLE D'OR

lorsque je commençais à pratiqué le sport, je suis allé m'acheter mon uniforme ; mais l'un de mes frères avait désapprouvé le fait que je puisse mettre mon argent dans une tenue de sport. De retour du travail en me voyant essayer mon ensemble, il m'avait dit qu'au lieu d'utiliser mon argent pour acheter de bonnes choses, je le gaspillais pour des choses inutiles. Pourtant, lorsque je fus champion pour la première fois et que j'obtins ma première médaille d'or, il fut parmi ceux qui se réjouissaient de me voir au journal télévisé. Lorsque, malgré mon niveau de scolarité, j'avais décidé d'apprendre l'anglais, entre 2000 et 2001, certaines personnes autour de moi avaient dit que je perdais mon temps. Mais au bout de six mois, je pouvais déjà m'exprimer en anglais parce que je ne leur avais pas donné l'occasion de détruire mon rêve. Par la grâce de Dieu, en 2005, avec ma petite connaissance de la langue anglaise, j'avais obtenu plusieurs contrats pour travailler pour une compagnie française comme interprète. Non seulement l'anglais m'avait-il permis de me faire de nombreux amis aux quatre coins du monde qui m'ont aidé avec plusieurs millions de francs CFA, mais aussi, en 2009, j'ai obtenu un autre contrat avec une compagnie pétrolière où j'ai fait une bonne rencontre qui a changé ma vie et celle de ma famille pour toujours grâce a Dieu. Comme vous le constatez, si j'avais écouté ceux qui voulaient me briser le moral lorsque j'avais décidé de partager chaque chose que je voulais faire avec eux, je ne serais pas en mesure de saisir toutes ces opportunités et vivre mon rêve américain ; puisque c'est grâce aux chansons que j'ai composées avec l'Anglais, que Dieu a permis que l'on m'invite dans ce pays où je réside désormais.

«Réalisé nos objectifs nous donne des avantages et nous ouvre les portes au succès»

EULOGE EKISSI

Ne pas être en mesure de réaliser un but est semblable à échec face aux épreuves de la vie. Car la vie est une école où il faut réussir une étape, pour passer à une autre. Chaque victoire nous donne un diplôme que l'on appelle le succès ou le progrès ; alors que chaque échec nous retient au même niveau, et nous empêche d'aller à la rencontre de notre avenir. ***Battez-vous pour forcer votre rêve à se réaliser et vous comprendrez que votre heure de couronnement ne sonnera qu'après vos victoires.*** Cela sous-entend quiconque échoue et ne parvient pas à avancer, ne découvrira pas en conséquence sa vraie destinée, même si les années passent. Car l'élève ne peut aspirer aux choses futures, que s'il ne parvient à réussir certaines épreuves dans les différentes classes de la vie, dans lesquelles certains s'éternisent à cause de leur incapacité à réussir les épreuves, qui leur sont proposées chaque jour**.»**

EULOGE EKISSI

En 2011, lorsqu'à cause de la guerre, nous fûmes obligés de tout abandonner derrière nous pour fuir en direction du Ghana, contrairement à ceux qui s'y étaient réfugiés pour cette même raison, je n'avais aucune difficulté à me déplacer durant notre séjour grâce à ma connaissance de la langue anglaise.

« Un rêve réalisé nous donne parfois des avantages incroyables et nous ouvre au même instant à des sources de bénédiction infinies. »

EULOGE EKISSI

Par contre, quand nous laissons les gens nous décourager au moment où nous leur expliquons ce que nous désirons réaliser, non seulement nous leur donnons l'occasion de détruire notre destinée, mais aussi de nous priver de nombreuses opportunités derrière chaque victoire que l'on aurait dû avoir, si nous n'avions pas abandonné à la suite de leurs critiques.

Je bénis le nom de Dieu pour tout ce qu'il a fait pour moi en utilisant la langue anglaise, que j'ai apprise de façon autodidacte. Pour tant, si j'avais écouté ceux qui faisaient tout pour me décourager, je ne serais pas parvenu à réaliser certaines choses dans ma vie sans cette langue. Aujourd'hui, en plus de mes autres talents, je suis un artiste-chanteur et j'ai à mon actif plus de 250 compositions originales en anglais et en français. Lorsque je voulais faire la demande de visa canadien pour ma femme et moi, certaines personnes autour de moi avaient dit qu'étant dans un pays étranger, il ne nous serait pas possible d'avoir nos visas pour le Canada. Mais par la grâce de Dieu, le visa nous a été accordé, parce que rien n'est impossible à celui qui croit en Dieu. L'Éternel ne délaisse personne qui mette sa confiance en lui et qui poursuit son rêve, peu importe ce que les gens disent. Cependant, notre blocage ne survient que lorsque nous allons demander conseil aux mauvaises personnes à propos de ce que Dieu nous confie au lieu de demander à Dieu lui-même de nous guider.

Chaque fois que je devais prospérer, je faisais toujours l'erreur de parler de mes projets aux gens à qui je faisais confiance pour m'aider à faire le bon choix. Malheureusement, la plupart d'entre eux croyaient que le projet en question n'allait pas marcher et tentaient de me faire d'autres suggestions, au lieu de m'aider à réaliser ce que je désirais. Il vous arrivera très souvent de faire face ce genre de situation. Par contre, comme je le dis toujours, seule votre décision déterminera la suite des choses. Qu'est-ce que je tente de vous dire? Si vous faites confiance à Dieu pour ce qu'il vous demande de réaliser, il vous aidera à le faire. Toutefois, si vous avez des doutes et que vous allez demander aux gens de vous aider, le diable en profitera pour les pousser à influencer votre décision. C'est pour cela que de nombreuses personnes ont eu de bonnes idées qui leur avaient été inspirées par Dieu, mais ont été découragées pour s'être confiées à une mauvaise personne à qui elles ont donné l'occasion de juger et de critiquer leurs rêves. Alors, si Dieu vous donne un rêve à réaliser, n'attendez pas l'approbation de ceux qui vous entourent avant de croire en ce qu'il vous confie. Si certains n'ont pas reçu le même esprit ou la même révélation que la vôtre, ils ne comprendront rien à ce que vous leur direz et tenteront de vous décourager.

«En attendant que vos rêves soient approuvés par des hommes, vous leur donnez l'occasion de les éteindre.»

EULOGE EKISSI

«Souvenez-vous que l'opinion de la majorité peut devenir un piège pour votre destinée si cela ne fait pas partie de la volonté divine. Alors, croyez en vos rêves, et ne laissez personne devenir votre obstacle.» Car, il est écrit : *«Ne vous conformez pas au siècle présent, mais soyez transformés par le renouvellement de l'intelligence, afin que vous discerniez, quelle est la volonté de Dieu, ce qui est bon, agréable et parfait.»* **Romains 12 V2.**

Voici donc le moment de prier pour changer les choses en votre faveur. Pour clore, je vous souhaite, une très bonne séance de prières, et prie que Dieu vous bénisse en vous accordant le désir de votre cœur, au nom de son fils Jésus-Christ! Amen.

Confessions bibliques

Prières prophétiques

❧ ❧

PROPHÉTISER LA CONNEXION DIVINE

Confessions bibliques

1. **Jean 15 V26.27** «*Quand sera venu le consolateur, que je vous enverrai de la part du Père, l'Esprit de vérité, qui vient du Père, il rendra témoignage de moi;*» V27 «*Et vous aussi, vous rendrez témoignage, parce que vous êtes avec moi dès le commencement.*»

2. **Jean 14 V26** «*Mais le consolateur, l'Esprit saint, que le Père enverra en mon nom, vous enseignera toutes choses, et vous rappellera tout ce que je vous ai dit.*»

3. **Actes 1 V8** «*Mais vous recevrez une puissance, le Saint-Esprit survenant sur vous, et vous serez mes témoins à Jérusalem, dans toute la Judée, dans la Samarie, et jusqu'aux extrémités de la terre.*»

Prières prophétiques

1. Saint-Esprit de Dieu, viens des quatre vents, souffle sur moi ta puissance de faveur et dispose tous les cœurs pour m'aider, au nom de Jésus-Christ!

2. Je prophétise que l'Esprit de Dieu incline tous les cœurs en ma faveur et envoie des personnes de bonne volonté pour m'aider à réaliser mon plus beau rêve, au nom de Jésus-Christ!

3. Saint-Esprit, par ta puissance, connecte-moi à des bien-faiteurs et fais-moi trouver faveur et grâce aux yeux de tous ceux qui croiseront mon chemin partout où je me retrouverai dans le monde entier, au nom de Jésus-Christ!

4. Il est écrit, en **Psaume 2 V8 :** «*Demande-moi et je te donnerai les nations pour héritage, les extrémités de la terre pour possession;*»

5. Je prophétise donc que la main de l'Éternel me connecte à des personnes généreuses pour investir sur mes projets et m'ouvre de nouvelles portes d'opportunités, partout dans le monde entier, au nom de Jésus-Christ.

6. Saint-Esprit, mets de bonnes personnes sur mon chemin et incline leurs cœurs en ma faveur afin qu'elles m'aident à réaliser mon rêve, au nom de Jésus-Christ!

7. Je prophétise que le Saint-Esprit inspire, motive et donne le courage à tous ceux qui ont pris l'initiative de m'aider afin qu'ils ne se découragent pas jusqu'à l'accomplissement de ce pour quoi Dieu les a mis sur mon chemin, au nom de Jésus-Christ!

8. Je prophétise que toute force ténébreuse et tout esprit maléfique qui se fondaient sur mes fautes pour repousser mes bienfaiteurs, soient détrônés par le sang de l'agneau, au nom de Jésus-Christ!

9. Je prophétise que toute puissance dans les lieux célestes qui décourageait mes bienfaiteurs à cause de ma désobéissance à la parole de Dieu, perde tout droit que je lui avais donné pour bloquer ma vie, au nom puissant de Jésus-Christ!

10. Il est écrit, en ***Ésaïe 54 V8.10*** : «*Dans un instant de colère, je t'avais un moment dérobé ma face, mais avec un amour éternel, j'aurai compassion de toi, dit ton rédempteur, l'Éternel.*» 9 V «*Il en sera pour moi comme des eaux de Noé : J'avais juré que les eaux de Noé ne se répandraient plus sur la terre; je jure de même de ne plus m'irriter contre toi et de ne plus te menacer.*» V10. «*Quand les montagnes s'éloigneraient, quand les collines chancelleraient, mon amour ne s'éloignera point de toi, et mon alliance de paix ne chancellera point, dit l'Éternel, qui a compassion de toi.*»

11. Je prophétise que toute maladie qui était entrée dans ma vie ou dans ma famille à cause de nos actes prend fin aujourd'hui, au nom de Jésus-Christ!

12. Je prophétise que tout blocage qui existe dans ma vie à cause de la dureté de mon cœur envers ceux qui m'entourent est brisé et ôté de ma vie pour toujours, au nom de Jésus-Christ!

13. Je prophétise que toutes bonnes choses qui avaient été retirées de ma vie lorsque j'avais passé des nuits, des jours et des semaines, voire des mois à dormir avec la colère, me sont restituées, au nom de Jésus-Christ!

14. Je prophétise que tout démon ou esprit maléfique qui avait profité de la colère ou de mes moments de découragement pour avoir accès à ma vie sont détrôné par le sang de Jésus et perds son pouvoir sur ma vie, au nom de Jésus-Christ!

15. Je prophétise que toute chose en moi qui fait que je deviens incontrôlable quand j'ai des envies sexuelles au seuil de ma percée est brisée et détruite, au nom de Jésus-Christ!

16. J'invoque la hache de Dieu pour briser et ôter de ma vie tout esprit qui me rend incontrôlable quand je suis en colère, au nom puissant du Seigneur Jésus-Christ!

17. Je prophétise que le marteau de Dieu brise et disperse toute faiblesse en moi, qui fait que je pardonne difficilement à ceux qui me blessent, au nom de Jésus-Christ!

18. Je prophétise que toute bonne chose dans ma vie qui avait été bloquée ou tuée reçoit la puissance et revienne à la vie, au nom puissant du Seigneur Jésus-Christ!

19. Je prophétise le déblocage et la restitution de toutes bonnes choses dans ma vie qui avaient été retardées ou transférées ailleurs par les forces des ténèbres, au nom de Jésus-Christ!

20. Je prophétise que le Saint-Esprit me donne le pouvoir de résister à la colère et à la tentation afin de posséder mon miracle, au nom puissant de Jésus-Christ!

21. Merci, Seigneur Éternel des armées, de m'avoir restauré, au nom puissant du Seigneur Jésus-Christ!

PRIÈRES PROPHÉTIQUES POUR VAINCRE LA RÉTROGRADATION ET LE SUCCÈS TEMPORAIRE

Confessions bibliques

1. **Jean 15 V7** *«Si vous demeurez en moi, et que mes paroles demeurent en vous, demandez ce que vous voudrez, et cela vous sera accordé.»*

2. **Jean 16 V23** *«En ce jour-là, vous ne m'interrogerez plus sur rien. En vérité, en vérité, je vous le dis, ce que vous demanderez au Père, il vous le donnera en mon nom.»*

3. **Ésaïe 55 V10.11** *«Comme la pluie et la neige descendent des cieux, et n'y retournent pas sans avoir arrosé, fécondé la terre, et fait germer les plantes, sans avoir donné de la semence au semeur, et du pain à celui qui mange,»* *V11 «Ainsi en est-il de ma parole, qui sort de ma bouche : elle ne retourne point à moi sans effet, sans avoir exécuté ma volonté et accompli mes desseins.»*

4. **Deutéronome 28 V5.6** *«Ta corbeille et ta huche seront bénies.»* *V6 «Tu seras béni à ton arrivée, et tu seras béni à ton départ.»*

Prières prophétiques

1. Je prophétise que cette année, je recevrai de bonnes nouvelles et non des réponses négatives aux demandes que je ferai, au nom puissant de Jésus-Christ !

2. Je prophétise que rien ne me sera refusé et que toute date qui me sera fixée pour m'accorder faveur et grâce ne sera pas reportée ou annulée, au nom de Jésus-Christ !

3. Je prophétise que mon succès et ma destinée ne seront pas comme une étoile filante qui s'allume et s'éteint aussitôt, comme le souhaitent mes ennemis, au nom puissant de Jésus-Christ !

4. Je prophétise qu'à partir d'aujourd'hui, je prospérerai à tous égards et que je ne serai pas rétrogradé, au nom puissant de Jésus-Christ !

5. Je prophétise que je ne serai frappé d'aucune tragédie au seuil de mon miracle, comme le souhaitent mes adversaires, au nom de Jésus-Christ !

6. *Il est écrit, en **Proverbes 10 V22 :** «C'est la bénédiction de l'Éternel qui enrichit, et il ne la fait suivre d'aucun chagrin.»*

7. Je prophétise donc que ma vie ira de gloire en gloire et de succès en succès, chaque jour de ma vie, au nom puissant de Jésus-Christ !

8. Je prophétise que toute parole que mes ennemis déclareront contre moi ne m'atteindra pas et se retournera contre eux, au nom puissant de Jésus-Christ !

9. Je prophétise que la puissance de Dieu déclenche ma pluie de bénédictions et d'opportunités, au nom du Seigneur Jésus-Christ !

10. Je prophétise qu'aussi longtemps que mes ennemis perdront leur temps pour me dénigrer, leurs paroles deviendront des bénédictions pour m'enrichir, au nom de Jésus-Christ !

11. Je prophétise que ma gloire sera éternelle et que je régnerai sur le trône de succès que mon Dieu a prédestiné pour moi, et ce, jusqu'à la fin de ma mission sur terre, au nom puissant de Jésus-Christ !

12. Je décrète de bonnes choses dans ma vie et je prophétise que mon soleil et mon étoile de destinée brilleront à jamais, au nom de Jésus-Christ !

13. J'invoque sur moi l'onction et la puissance pour trouver faveur et grâce partout dans le monde, au nom puissant du Seigneur Jésus-Christ!

14. Je prophétise que je recevrai tout ce dont j'ai besoin pour réussir dans la vie et que je sortirai de la misère pour toujours, au nom puissant du Seigneur Jésus-Christ! Amen.

VAINCRE LES PRÉDICTIONS MALÉFIQUES

Confessions bibliques

1. ***Ésaïe 54 V17*** *«Toute arme forgée contre toi sera sans effet; et toute langue qui s'élèvera en justice contre toi, tu la condamneras. Tel est l'héritage des serviteurs de l'Éternel, tel est le salut qui leur viendra de moi, dit l'Éternel.»*

2. ***Deutéronome 23 V5*** *«Mais l'Éternel, ton Dieu, n'a point voulu écouter Balaam; et l'Éternel, ton Dieu, a changé pour toi la malédiction en bénédiction, parce que tu es aimé de l'Éternel, ton Dieu.»*

3. ***Proverbes 26 V2*** *«Comme l'oiseau s'échappe, comme l'hirondelle s'envole, ainsi la malédiction sans cause n'a point d'effet.»*

Prières prophétiques

1. Par le sang de Jésus, je brise et j'annule toute malédiction et condamnation prononcée contre moi par une personne en colère qui souhaite que je souffre toute ma vie, au nom de Jésus-Christ!

2. Je brise tous vœux faits contre moi par un agent des ténèbres qui souhaite que je sois comme une étoile filante qui apparaît et disparaît aussitôt, au nom de Jésus-Christ!

3. Je brise et je me libère des effets de toutes pensées négatives émises contre moi par un ennemi qui souhaite que mon bonheur ne dure jamais, au nom de Jésus-Christ !

4. Je brise et j'annule toute malédiction prononcée contre moi par une personne qui a déclaré que je vivrais sans avoir d'impact et de succès sur cette terre de vivants, au nom de Jésus-Christ !

5. Je prophétise que tout ennemi de ma vision, qui souhaite que tout ce que je demande soit refusé et prie pour mon échec, échoue et ne célébrera jamais sa victoire, au nom de Jésus-Christ !

6. Je brise et je me libère de toute plainte formulée contre moi par une personne qui, autrefois, m'avait aidé et qui se sert de son aide pour me juger et me condamner, au nom de Jésus-Christ !

7. Je brise toute difficulté qui est entrée dans ma vie à cause des déclarations faites contre moi par une personne qui m'avait aidé lorsque je traversais des moments difficiles, et qui s'appuie sur son aide pour me maudire à cause de mes erreurs, au nom puissant de Jésus-Christ !

8. Je brise et je me libère de l'effet des paroles de toute personne de la main de qui j'avais reçu une nourriture devenue la cause de mon blocage, au nom de Jésus-Christ !

9. Je brise et je supprime de ma vie, toutes condamnations prononcées sur moi par une personne qui m'avait aidé et qui me souhaite désormais de souffrir à cause de mes erreurs, au nom de Jésus-Christ !

10. Je brise et j'annule toute malédiction et toutes paroles de condamnation prononcées contre moi par une personne qui m'accuse de n'avoir pas été reconnaissant(e) et qui se base sur son aide pour me maudire, me juger et me condamner chaque jour, au nom de Jésus-Christ !

11. Je déclare que tout agent des ténèbres qui souhaite que ce que ma bouche annonce ne s'accomplisse pas, recueille sa propre méchanceté, au nom puissant de Jésus-Christ !

12. Je prophétise que toute alliance et pratique maléfique faites contre moi depuis le monde astral retournent contre l'envoyeur et ne m'atteignent pas, au nom de Jésus-Christ !

13. J'invoque la hache de Dieu pour briser et détruire toute chose qui me fait lutter pour accomplir le désir de mon cœur sans succès, au nom de Jésus-Christ !

14. Je brise et je détruis toutes choses dites et faites contre moi avec l'eau, le feu et la terre, et qui font que malgré mes efforts, le résultat de mes projets n'est jamais satisfaisant, au nom de Jésus-Christ !

15. Il est écrit, en **Matthieu 7 V7.8 :** «*Demandez, et l'on vous donnera ; cherchez, et vous trouverez ; frappez, et l'on vous ouvrira.*» V8 «*Car quiconque demande reçoit, celui qui cherche trouve, et l'on ouvre à celui qui frappe.*»

16. **Ésaïe 30 V19** «*Oui, peuple de Sion, habitant de Jérusalem, tu ne pleureras plus ! Il te fera grâce, quand tu crieras ; dès qu'il aura entendu, il t'exaucera.*»

17. **Marc 11 V24** «*C'est pourquoi je vous dis : tout ce que vous demanderez en priant, croyez que vous l'avez reçu, et vous le verrez s'accomplir.*»

Recommandation : Faites le point de prière numéro 18 pendant cinq minutes avant de passer au suivant.

18. Je prophétise que toutes les mauvaises choses dites ou faites contre moi au lever ou au coucher du soleil, et qui font que malgré mon intelligence, mes dons et mes talents, ma vie ne progresse pas, soient brisées et annulées, au nom de Jésus-Christ !

19. Je déclare que toutes paroles et malédictions prononcées contre moi par une personne jalouse, qui dit que mes opportunités ne me serviront à rien, retombent sur sa propre tête et ne m'affectent jamais, au nom de Jésus-Christ !

20. Je prophétise que toute personne dont la bouche n'a jamais fait de bons commentaires à mon sujet à cause de la jalousie, soit humiliée par mon succès, au nom de Jésus-Christ!

21. Je brise et j'annule toute déclaration faite contre moi par les ennemis de ma vision, qui disent que je peux rêver si je veux, mais que je ne trouverai pas les moyens pour accomplir mes désirs, au nom puissant de Jésus-Christ!

22. Je prophétise que des bienfaiteurs viendront des quatre coins du monde pour investir dans mes projets et m'aider, sans conditions de remboursement, au nom de Jésus-Christ!

23. Je brise et je détruis l'effet des paroles de toute personne qui juge, dénigre et condamne tout ce que je rêve de réaliser pour essayer de me décourager, au nom de Jésus-Christ!

24. Je prophétise que la gloire de Dieu dans ma vie ne s'éteindra jamais, au nom de Jésus-Christ!

25. Je prophétise que je ne perdrai jamais la faveur et la grâce de Dieu sur ma vie comme le souhaitent mes ennemis, au nom de Jésus-Christ!

26. Je proclame que je saisirai et que je profiterai de toutes les opportunités que la vie me présentera, au nom de Jésus-Christ!

27. Je proclame que je ne me lèverai pas pour disparaître à jamais et que je n'apparaîtrai pas pour être oublié comme le souhaitent mes ennemis, au nom de Jésus-Christ!

28. Je sème de bonnes choses dans ma vie et j'ordonne à tout esprit invité dans ma vie par la bouche de mes ennemis d'être détrôné et chassé loin de moi pour toujours, au nom de Jésus-Christ!

29. Je confesse que je ne passerai pas toute ma vie à servir et à célébrer les autres comme un esclave, au nom de Jésus-Christ!

30. Je prophétise ma réussite sur cette terre et déclare que le monde entier me célébrera dans tous les domaines de ma vie, au nom de Jésus-Christ!

31. Je proclame que je suis né pour réussir et prospérer à tous les égards, au nom puissant du Seigneur Jésus-Christ!

32. Je prophétise que je saisirai de nouvelles opportunités chaque jour de ma vie, au nom de Jésus-Christ!

33. Je prophétise que je reçois le pouvoir d'impacter et de convaincre quiconque croisera mon chemin, au nom de Jésus-Christ!

34. Je prophétise que ma vie ne servira pas de sacrifice pour le succès des autres, au nom puissant de Jésus-Christ!

35. Je prophétise que ma vie ne servira pas d'holocauste et de sacrifice à Satan et les sorciers de ma famille, au nom de Jésus-Christ!

36. Je prophétise que mes paroles reçoivent la puissance et se concrétisent aussitôt que je les déclare, au nom de Jésus-Christ!

37. Je prophétise que toute puissance maléfique qui viendra contre moi pour accomplir une mission en faveur du royaume des ténèbres soit frappée par la colère de Dieu et détruite, au nom de Jésus-Christ! Amen.

PROPHÉTISER POUR SORTIR DE LA STAGNATION

Confessions bibliques

1. ***Ésaïe 46 V10.12*** *«J'annonce dès le commencement ce qui doit arriver, et longtemps d'avance ce qui n'est pas encore accompli; je dis : mes arrêts subsisteront, et j'exécuterai toute ma volonté. » V11 «C'est moi qui appelle de l'orient un oiseau*

de proie, d'une terre lointaine un homme pour accomplir mes desseins, je l'ai dit, et je le réaliserai; je l'ai conçu, et je l'exécuterai. »

2. ***Ésaïe 49 V9.11*** *«Pour dire aux captifs : Sortez! Et à ceux qui sont dans les ténèbres : Paraissez! Ils paîtront sur les chemins, et ils trouveront des pâturages sur tous les coteaux. » V10 «Ils n'auront pas faim et ils n'auront pas soif; le mirage et le soleil ne les feront point souffrir; car celui qui a pitié d'eux sera leur guide, et il les conduira vers des sources d'eaux. » V11 «Je changerai toutes mes montagnes en chemins, et mes routes seront frayées. »*

3. ***Ésaïe 41 V17*** *«Les malheureux et les indigents cherchent de l'eau, et il n'y en a point; leur langue est desséchée par la soif. Moi, l'Éternel, je les exaucerai; moi, le Dieu d'Israël, je ne les abandonnerai pas. »*

4. ***Ésaïe 43 V19*** *«Voici, je vais faire une chose nouvelle, sur le point d'arriver : Ne la connaîtrez-vous pas? Je mettrai un chemin dans le désert, et des fleuves dans la solitude. »*

Prières prophétiques

1. Saint-Esprit, délivre-moi de toute raison pour laquelle je dois lutter durement avant de réaliser ce que je désire, au nom de Jésus-Christ!

2. Je prophétise la destruction de toute malédiction prononcée contre moi par une personne qui dit que ma vie s'éteindra comme une étoile filante qui apparaît et disparaît aussitôt, au nom de Jésus-Christ!

3. Je prophétise la destruction et la fin de toutes les malédictions envoyées contre moi et qui font que les bonnes choses ne durent jamais dans ma vie, au nom de Jésus-Christ!

4. J'invoque l'épée du Saint-Esprit pour frapper et détruire tout cercle sacré tracé contre moi par les forces de la sorcellerie afin de me maintenir au même endroit, au nom de Jésus-Christ!

5. Je brise tout vœu et toute prophétie de limitation prononcés contre ma destinée et qui m'empêchent de libérer tout mon potentiel, au nom de Jésus-Christ!

6. J'invoque le tonnerre de l'Éternel pour frapper et réduire au silence toute voix maléfique qui me donne des ordres depuis le monde astral, afin de me dévier du plan de Dieu, au nom de Jésus-Christ!

7. Je prophétise la destruction de toute idée et de toute vision qui m'ont été inspirées par les forces des ténèbres, pour m'empêcher de découvrir ma vraie destinée, au nom de Jésus-Christ!

8. J'invoque les anges de l'Éternel pour exterminer toutes les puissances maléfiques qui crient depuis le royaume des ténèbres en vue d'expulser mes bienfaiteurs et les opportunités de ma vie, au nom de Jésus-Christ!

9. Je rappelle toute personne que Dieu avait connectée à ma destinée pour m'aider financièrement jusqu'à l'accomplissement du but de mon existence, et qui a été expulsée de ma vie par la sorcellerie afin de me retarder, au nom de Jésus-Christ!

10. J'invoque la foudre pour réduire au silence toute force qui trouble mon âme avec de mauvais souvenirs, au nom de Jésus-Christ!

11. Je prophétise la destruction de toute puissance maléfique qui utilise mes propres pensées, pour faire obstacle à ma percée, au nom puissant de Jésus-Christ!

12. Merci, Seigneur, de m'avoir accordé la restauration et le succès. Soit magnifié et élevé, au nom puissant de ton fils Jésus-Christ. Amen!

❧ ❧

PROPHÉTISER POUR VAINCRE LA MANIPULATION MALÉFIQUE

Confessions bibliques

1. **Nombres 23 V23.24** *«Dieu les a fait sortir d'Égypte, il est pour eux comme la vigueur du buffle.» V23 «L'enchantement ne peut rien contre Jacob, ni la divination contre Israël; au temps marqué, il sera dit à Jacob et à Israël : Quelle est l'œuvre de Dieu.» V24 «C'est un peuple qui se lève comme une lionne, et qui se dresse comme un lion; il ne se couche point jusqu'à ce qu'il ait dévoré la proie, et qu'il ait bu le sang des blessés.»*

2. **Ésaïe 54 V17** *«Toutes armes forgées contre toi sera sans effet; et toute langue qui s'élèvera en justice contre toi, tu la condamneras. Tel est l'héritage des serviteurs de l'Éternel, tel est le salut qui leur viendra de moi, dit l'Éternel.»*

3. **Ésaïe 54 V15.16** *«Si l'on forme des complots, cela ne viendra pas de moi; quiconque se liguera contre toi tombera sous ton pouvoir.» V16 «Voici, j'ai créé l'ouvrier qui souffle le charbon au feu, et qui fabrique une arme par son travail; mais j'ai créé aussi le destructeur pour la briser.»*

4. **Ézéchiel 37 V9** *«Il me dit : Prophétise, et parle à l'esprit! Prophétise, fils de l'homme, et dis à l'esprit : ainsi parle le Seigneur, l'Éternel : Esprit, viens des quatre vents, souffle sur ces morts, et qu'ils revivent!»*

Prières prophétiques

1. Je prophétise que l'Esprit vengeur de l'Éternel foudroie toute force qui influence les pensées de ceux qui ont pris l'initiative de m'aider pour les décourager, au nom de Jésus-Christ!

2. Je prophétise que toute bonne personne dont la mission est de m'aider à réaliser le but de mon existence, et qui a été déviée de mon chemin par les forces du mal revienne m'aider à accomplir ma destinée, au nom de Jésus-Christ !

3. Je décrète la destruction de toute ligne ou de tout cercle maléfique tracés par les puissances maléfiques afin de me limiter dans tous les domaines de vie, au nom de Jésus-Christ !

4. Je prophétise la destruction de tout mur invisible installé par les forces des ténèbres entre moi et toute personne qui devait être une source de bénédiction pour moi, au nom de Jésus-Christ !

5. Je prophétise que toute personne qui détient la solution à mes problèmes, mais ne parvient pas à me repérer à cause de l'influence des forces des ténèbres, me localise et agisse en ma faveur, au nom de Jésus-Christ !

6. Je prophétise que des langues de feu descendent du ciel pour consumer tout masque invisible que les agents du royaume des ténèbres ont mis sur mon visage afin que je sois rejeté ou que j'aille pour demander de l'aide, au nom de Jésus-Christ !

7. J'invoque le feu de Dieu pour réduire en cendres toutes couvertures maléfiques mises sur moi par les forces des ténèbres, pour empêcher les bienfaiteurs de ma destinée de me localiser, au nom de Jésus-Christ !

8. Je prophétise que toute énergie et tout champ magnétique installés autour de moi par la sorcellerie afin d'empêcher les grandes personnalités de me favoriser, soient détruits par la puissance du Saint-Esprit, au nom de Jésus-Christ !

9. Je prophétise que l'ange de l'Éternel frappe et extermine toute force maléfique qui m'étouffe pour me réduire à rien, au nom de Jésus-Christ !

10. J'invoque l'ange collecteur d'impôt de l'Éternel pour punir et dépouiller toute puissance dans les lieux célestes qui me volent et inversent mes bénédictions, au nom de Jésus-Christ!

11. J'ordonne aux anges de destruction massive d'aller dans les ténèbres pour anéantir tout démon qui me ramène vers l'arrière chaque fois que je tente de progresser, au nom puissant de Jésus-Christ!

12. Je prophétise que tout individu dans mon entourage qui aura recours à la magie ou à des pratiques occultes pour me manipuler échouera et recueillera les conséquences dans sa méchanceté, au nom de Jésus-Christ!

13. Je prophétise que je ne serai victime d'aucune lettre piégée sur le web, au nom puissant de Jésus-Christ!

14. Je prophétise que tout agent de la sorcellerie déguisé en humain, et qui aura recours à des incantations et à des sortilèges pour me séduire, sera poursuivi par la foudre de l'Éternel jusqu'à sa destruction, au nom de Jésus-Christ!

15. Je prophétise que le Seigneur me délivre de toute relation amicale ou amoureuse dans laquelle je suis entré après avoir été spirituellement influencé et manipulé par les fétiches, le mensonge ou la puissance de la sorcellerie, au nom de Jésus-Christ!

16. Je brise toute manipulation et influence exercées sur moi par la sorcellerie avec des objets maléfiques pour me dévier du plan de Dieu, au nom de Jésus-Christ!

17. Je prophétise que je reçois la puissance pour résister à toute chose que les forces des ténèbres utilisent pour contrôler et manipuler mes pensées, au nom de Jésus-Christ!

18. J'humilie et je brise l'emprise de tout agent de la sorcellerie qui me fixe du regard, pour exercer son pouvoir de séduction et de domination sur mon esprit, au nom de Jésus-Christ!

19. J'invoque la foudre et l'épée de vengeance de l'Éternel, pour frapper et disperser toute force maléfique qui manipule mon cœur avec des paroles magiques, afin de me pousser à poser certains actes visant à gâcher ma vie, au nom puissant de Jésus-Christ!

20. Je proclame que je ne monterai pas avec souffrance au sommet de la montagne de gloire, pour retomber comme un minable au plus bas niveau de la vie, comme le souhaitent mes adversaires, au nom puissant de Jésus-Christ!

21. Je prophétise que je ne ferai pas de mauvais investissements qui profiteront à quelqu'un d'autre pendant que je serai en train de m'apitoyer sur mon sort, au nom de Jésus-Christ!

22. Je prophétise que je ne souffrirai pas toute ma vie pour être inscrit parmi les ratés de l'histoire de l'humanité à la fin de ma mission terrestre, au nom de Jésus-Christ!

23. Je prophétise que mes projets se réaliseront à la date exacte que je me suis fixée, et que je réussirai dans tous les domaines de ma vie, au nom puissant de Jésus-Christ!

24. Je prophétise que, quelles que soient les circonstances, je ne commettrai pas d'erreurs regrettables et irréparables comme le souhaitent ceux qui rêvent de me voir souffrir, au nom de Jésus-Christ!

25. Je prophétise la destruction de toute malédiction et alliance attachées à ma vie, et qui font que je réalise difficilement ce que je désire, au nom de Jésus-Christ!

26. Je prophétise que toute personne qui viendra se servir de moi pour réaliser ses désirs égoïstes ne parviendra jamais à me convaincre afin de m'embarquer dans son manège, au nom puissant de Jésus-Christ!

27. Je prophétise la destruction de la mission de tout agent des ténèbres qui viendra au nom de l'amitié pour abuser de ma bonté, au nom de Jésus-Christ!

28. Seigneur, accorde-moi l'intelligence pour détecter et repousser les avances de tout menteur et escroc qui viendra avec ruse pour me soutirer de l'argent, au nom de Jésus-Christ!

29. Je prophétise que tout pirate informatique qui tentera d'avoir accès à mon système informatique, ou mon compte bancaire, tombera dans le filet de la police et soit arrêté, au nom de Jésus-Christ! Amen.

❦ ❧

PROPHÉTISER POUR SE DÉCONNECTER DES POLLUEURS DE DESTINÉE

Confessions bibliques

1. ***Matthieu 5 V29.30*** *« Si ton œil droit est pour toi une occasion de chute, arrache-le et jette-le loin de toi ; car il est avantageux pour toi qu'un seul de tes membres périsse, et que ton corps entier ne soit pas jeté dans la géhenne. » V30 « Et si ta main droite est pour toi une occasion de chute, coupe-la et jette-la loin de toi ; car il est avantageux pour toi qu'un seul de tes membres périsse, et que ton corps entier n'aille pas dans la géhenne. »*

2. ***Michée 7 V5.6*** *« Ne crois pas à un ami, ne te fie pas à un intime ; devant celle qui repose sur ton sein, garde les portes de ta bouche. » V6 « Car le fils outrage le père, la fille se soulève contre sa mère, la belle-fille contre sa belle-mère ; chacun a pour ennemis les gens de sa maison. »*

3. ***Jérémie 9 V4*** *« Que chacun se tienne en garde contre son ami, et qu'on ne se fie à aucun de ses frères ; car tout frère cherche à tromper, et tout ami répand des calomnies. »*

4. ***Psaume 62 V5.6*** *« Ils conspirent pour le précipiter de son poste élevé ; ils prennent plaisir au mensonge ; ils bénissent de leur bouche, et ils maudissent dans leur cœur. » V6 « Oui, mon âme, confie-toi en Dieu ! Car de lui vient mon espérance. »*

5. ***Psaume 55 V22*** *«Sa bouche est plus douce que la crème, mais la guerre est dans son cœur; ses paroles sont plus onctueuses que l'huile, mais ce sont des épées nues.»*

Prières prophétiques

1. Je prophétise que je ne vivrai pas pour servir mes ennemis comme un esclave sans la possibilité de réaliser mes propres ambitions, au nom puissant de Jésus-Christ!

2. Saint-Esprit de Dieu, par ta puissance divine, endurcis mon cœur contre quiconque viendra m'arnaquer avec des mensonges, au nom puissant de Jésus-Christ!

3. Je reçois la force et le courage pour rejeter les propositions de toute personne, qui voudra se servir de moi pour atteindre ses objectifs égoïstes, au nom de Jésus-Christ!

4. Je prophétise que toute personne, qui voudra m'utiliser pour réaliser sa vision, pour ensuite me rejeter plus tard comme l'on jette les ordures, ne réussira pas à m'embarquer dans son jeu, au nom de Jésus-Christ!

5. Par la puissance du Saint-Esprit, je brise l'influence et la domination que certaines personnes autour de moi exercent sur moi, afin d'étouffer mes ambitions et mon courage, au nom puissant de Jésus-Christ!

6. Je décrète ma séparation d'avec toute personne parmi mes amis et connaissances dont la mission est de me tenir occupé à boire, à fumer et à perdre mon temps sur des choses sans importance, afin d'empêcher la réalisation de ma vision, au nom de Jésus-Christ!

7. Je prophétise que l'Esprit de Dieu détruise et expulse de ma vie les œuvres de toutes forces ténébreuses venues polluer ma destinée en songe, au nom de Jésus-Christ!

8. Je prophétise que tout agent que le royaume des ténèbres enverra en mission dans ma vie, pour me détourner de mon but, soit expulsé à coups de tonnerre et échoue, au nom puissant de Jésus-Christ!

9. Je prophétise l'échec de toute stratégie de distraction et de diversion utilisée par les forces de la sorcellerie, pour m'empêcher de me concentrer sur mes projets, au nom de Jésus-Christ!

10. Esprit vengeur de l'Éternel, frappe et expulse de ma vie tout suceur d'énergie et tout gaspilleur de potentiel envoyés par le royaume des ténèbres pour me ralentir avec de fausses histoires, au nom de Jésus-Christ!

11. Je prophétise que je ne serai jamais victime d'une escroquerie, et de choses humiliantes dont je n'aurais jamais le courage de parler aux gens autour de moi, au nom puissant de Jésus-Christ!

12. Je prophétise que toute personne spécialisée dans la fabrication de faux documents et de fausses preuves qui essayera de m'escroquer échouera lamentablement, au nom de Jésus-Christ!

13. Je prophétise que tous les agents et toutes les forces des ténèbres qui anéantissent des vies dans ce pays ne me compteront jamais parmi leurs victimes, au nom de Jésus-Christ!

14. Je prophétise que toute arme biologique forgée contre moi depuis le monde astral échoue et détruise son envoyeur, au nom puissant de Jésus-Christ!

15. Je prophétise que je ne travaillerai pas toute ma vie pour me faire escroquer par des voleurs déguisés en hommes d'affaires, au nom de Jésus-Christ!

16. Saint-Esprit de Dieu, frappe et éloigne de moi tout ami hypocrite dont le rêve est de détourner ma femme/mon mari, au nom de Jésus-Christ!

17. Seigneur! Ferme la bouche de tout ennemi de mon bonheur qui manipule ma vie avec des prières méchantes, au nom de Jésus-Christ!

18. ***2 Pierre 1 V20.21*** *«Sachant tout d'abord vous-mêmes qu'aucune prophétie de l'écriture ne peut être un objet d'interprétation particulière,» V21 «car ce n'est pas par une volonté d'homme qu'une prophétie n'a jamais été apportée, mais c'est poussé par le Saint-Esprit que des hommes ont parlé de la part de Dieu.»*

19. Ainsi parle le Seigneur l'Éternel : Esprit, viens des quatre vents : souffle sur moi et restaure toutes les bonnes choses détruites dans ma vie, par mon association aux mauvaises personnes, au nom de Jésus-Christ!

20. Saint-Esprit, sépare-moi de tous ceux qui me bénissent de la bouche et me maudissent du cœur, au nom de Jésus-Christ!

21. Je prophétise que toute personne dont l'existence pourrit ma destinée et me fait vivre en dehors du plan de Dieu sorte de ma vie aujourd'hui, au nom de Jésus-Christ!

22. Je prophétise que toute déclaration faite contre moi par un ennemi qui dit que les bonnes choses ne vont jamais durer dans ma vie est brisée et annulée, au nom puissant de Jésus-Christ!

PROPHÉTISER POUR ÊTRE AUX BONS ENDROITS ET AUX BONS MOMENTS

Confessions bibliques

1. ***Exode 23 V20*** *«Voici, j'envoie un ange devant toi, pour te protéger en chemin, et pour te faire arriver au lieu que j'ai préparé.»*

2. **Psaume 78 V53.55** «*Il les dirigea sûrement, pour qu'ils fussent sans crainte, et la mer couvrit leurs ennemis.*» V54 «*Il les amena vers sa frontière sainte, vers cette montagne que sa droite a acquise.*»

3. **Exode 15 V17** «*Tu les amèneras et tu les établiras sur la montagne de ton héritage, au lieu que tu as préparé pour ta demeure, ô Éternel! Au sanctuaire, seigneur! que tes mains ont fondé.*»

4. **Ésaïe 30 V18.19** «*Cependant, l'Éternel désire vous faire grâce, et il se lèvera pour vous faire miséricorde; car l'Éternel est un Dieu juste : heureux tous ceux qui espèrent en lui!*» V19 «*Oui, peuple de Sion, habitant de Jérusalem, tu ne pleureras plus! Il te fera grâce, quand tu crieras; dès qu'il aura entendu, il t'exaucera.*»

5. **Psaume 91 V9.11** «*Car tu es mon refuge, ô Éternel! Tu fais du Très-Haut ta Retraite.*» V10 «*Aucun malheur ne t'arrivera, aucun fléau n'approchera de ta tente*». V11 «*Car il ordonnera à ses anges de te garder dans toutes tes voies.*»

6. **Ésaïe 54 V17** «*Toute arme forgée contre toi sera sans effet; et toute langue qui s'élèvera en justice contre toi, tu la condamneras. Tel est l'héritage des serviteurs de l'Éternel, tel est le salut qui leur viendra de moi, dit l'Éternel.*»

Prières prophétiques

1. Je prophétise que je ne me retrouverai jamais pris dans une fusillade entre policier et voleur, au nom puissant de Jésus-Christ!

2. Saint-Esprit, protège ma famille et moi et fais en sorte qu'on ne se retrouve jamais sur la trajectoire d'une balle perdue, tirée par des gangs de rue ou la police, au nom de Jésus-Christ!

3. Je prophétise que je ne me retrouverai jamais sur la voie d'un conducteur ivre qui n'a plus le contrôle de son véhicule, comme le prédisent mes ennemis, au nom puissant de Jésus-Christ!

4. Je prophétise que je ne me retrouverai pas sur la trajectoire d'une personne qui a perdu le contrôle de son véhicule, comme le souhaitent les forces des ténèbres, au nom de Jésus-Christ!

5. Je prophétise que j'irai de succès en succès, et que tout ce que ma bouche annoncera se réalisera sans difficulté, au nom de Jésus-Christ!

6. Je prophétise que je ne souffrirai pas dans la réalisation de mon rêve, pour être rétrogradé sans profiter du fruit de mon labeur, au nom de Jésus-Christ!

7. Je prophétise que ma vie ne deviendra pas de plus en plus difficile et misérable, comme le souhaitent mes ennemis, au nom de Jésus-Christ!

8. Je prophétise que personne, parmi mes enfants et moi, ne sera puni ou condamné à une peine relative aux crimes et aux injustices commis par nos ancêtres, au nom de Jésus-Christ!

9. Je prophétise que toute malédiction prononcée contre moi par un individu qui a déclaré que, cette année sera pour moi une source de problèmes et de malheurs soit brisée et annulée, au nom de Jésus-Christ!

10. Je prophétise que cette année est pour ma famille et moi une année de bénédiction, de bonheur et de succès, au nom puissant du Seigneur Jésus-Christ!

11. Je mets fin à toute malédiction et dette ancestrales qui font que tout dossier et projet que je monte en mon nom ne trouvent pas faveur aux yeux des autorités ou des personnes à qui ils ont été confiés, au nom de Jésus-Christ!

12. Je déclare que je ne serai pas jugé par le diable selon les erreurs de mes parents, au nom de Jésus-Christ!

13. Je proclame que mes enfants ne seront jamais condamnés selon mes propres erreurs, au nom de Jésus-Christ!

14. Je brise et j'annule toute malédiction envoyée contre moi par une personne en colère qui dit que je vais souffrir avant d'avoir ce que les autres obtiennent facilement, au nom de Jésus-Christ!

15. Je prophétise ma libération de toute malédiction et alliance attachées à mon nom, et qui font que rien de ce que j'entreprends avec ce nom ne prospère, au nom de Jésus-Christ!

16. Je prophétise que je reçois une double onction du Saint-Esprit pour vaincre toute manipulation entreprise contre moi par les forces du mal en vue de bloquer mon succès, au nom puissant de Jésus-Christ!

Recommandation : Veuillez répéter les six derniers points de prières de cette section à tour de rôle, pendant dix minutes. Assurez-vous d'insister sur chaque sujet avant de poursuivre.

17. Je prophétise la destruction de tous les fléaux venant de la langue de mes ennemis qui disent que je vais toujours vivre l'enfer sur cette terre de vivants, sans jamais voir le bonheur un seul jour de ma vie, au nom de Jésus-Christ!

18. J'invoque le sang de Jésus pour briser toute malédiction prononcée contre moi par une personne qui dit que chaque fois que j'aurai de l'argent, je n'aurai jamais d'opportunités, au nom de Jésus-Christ!

19. Je brise et je me libère de toute interdiction de réussir placée sur moi par le royaume de la sorcellerie, et qui fait que des opportunités d'affaires se présentent à moi sans que je puisse avoir les moyens de les saisir, au nom de Jésus-Christ!

20. Je prophétise la destruction de toute malédiction d'échec cachée dans ma vie et qui fait que des opportunités ne se présentent à moi que, lorsque je n'ai pas les moyens financiers pour les saisir, au nom de Jésus-Christ!

21. J'ordonne une manifestation immédiate de toutes mes vertus et bénédictions, qui avaient été étouffées par les puissances des ténèbres, afin de me retarder au nom de Jésus-Christ!

22. J'ordonne à toute chose que j'ai reçue du ciel depuis ma naissance et qui avait été liée et étouffée par les ennemis de ma mission terrestre, d'être déliée et de se manifester immédiatement, au nom de Jésus-Christ! Amen.

VAINCRE L'INFLUENCE SATANIQUE ET LA PAUVRETÉ

«Tant qu'elle n'est pas surmontée, une faiblesse demeure un obstacle majeur à la réalisation de nos désirs.»

EULOGE EKISSI

Confessions bibliques

1. **Deutéronome 8 V18** *«Souviens-toi de l'Éternel, ton Dieu, car c'est lui qui te donnera de la force pour les acquérir, afin de confirmer, comme il le fait aujourd'hui, son alliance qu'il a jurée à tes pères.»*

2. **Psaume 27 V13.14** *«Oh! si je n'étais pas sûr de voir la bonté de l'Éternel sur la terre des vivants!» V14 «Espères -en l'Éternel! Fortifie-toi et que ton cœur s'affermisse! Espères-en l'Éternel!»*

3. **Ecclésiaste 12 V1,** *«Mais souviens-toi de ton créateur pendant les jours de ta jeunesse, avant que les jours mauvais arrivent et que les années s'approchent où tu diras : Je n'y prends point de plaisir.»*

Prières prophétiques

1. Aujourd'hui, je reçois la puissance et le courage d'épargner de l'argent, au nom puissant de Jésus-Christ!

2. Je prophétise que je ne deviendrai pas de plus en plus pauvre au fur et à mesure que le temps passe, au nom de Jésus-Christ!

3. Je brise tout esprit en moi qui fait que je ne parviens pas à me contrôler aussitôt que je reçois de l'argent jusqu'à ce que toute la somme soit gâchée, au nom de Jésus-Christ!

4. Je brise et me libère de l'emprise de tout rituel fait contre moi pour m'empêcher d'épargner de l'argent, au nom de Jésus-Christ!

5. Que toute condamnation à demeurer pauvre toute ma vie, qui a été prononcée contre moi depuis le royaume des ténèbres, et qui me fait dilapider mon salaire soit brisée et annulée, au nom de Jésus-Christ!

6. Je brise toute chose faite contre moi par des puissances maléfiques et qui m'incitent à faire des dépenses non planifiées lorsque je reçois de l'argent, au nom de Jésus-Christ!

7. Que toute malédiction de pauvreté qui agit contre moi, et qui fait que je n'ai aucun contrôle de mon salaire, soit brisée et sorte de ma vie, au nom de Jésus-Christ!

8. Que toute mauvaise habitude de faire des dépenses inutiles que j'ai forgée au fil du temps et qui m'empêche de bien gérer l'argent, ou de bien l'investir pour bâtir ma fortune, soit brisée, et sorte de ma vie, au nom de Jésus-Christ!

9. Je reçois la puissance du Saint-Esprit pour résister à toute envie de faire des dépenses qui m'envahit lorsque je reçois de l'argent, au nom de Jésus-Christ!

10. Que toute force des ténèbres déguisée en humain, qui viendra pour me dépouiller avec de fausses histoires lorsque je recevrai de l'argent, soit foudroyer par le marteau de Dieu, au nom de Jésus-Christ!

11. Je prophétise que tous les faux sentiments de générosité en moi, provoqués depuis le royaume de ténèbres pour me pousser à dilapider mon argent, soient brisés et sortent de ma vie, au nom de Jésus-Christ!

12. Que tout problème que les agents du royaume des ténèbres déclenchent avant même que je ne reçoive de l'argent, pour s'assurer que toute somme que je reçois ne contribue pas à réaliser mes projets, soit brisé par la main de Dieu, au nom de Jésus-Christ!

13. Saint-Esprit, donne-moi la puissance et la force d'âme pour surmonter mes envies de dépenser, et de toujours sortir de l'argent sans raison valable, au nom de Jésus-Christ!

14. Que tout ordre maléfique reçu depuis l'au-delà me motivant à faire des dépenses sans réfléchir, soit brisé et libère mon subconscient, au nom de Jésus-Christ!

15. Je prophétise que chaque jour et semaine de ma vie m'apportent la faveur, la grâce et la joie, que mes ennemis le veuillent ou pas, au nom de Jésus-Christ!

16. Je décrète la destruction de toutes malédictions attachées à mon nom et à mon sang et qui font que je réalise difficilement ce que je désire, au nom de Jésus-Christ!

17. Que toute déclaration faite contre moi par une personne, selon laquelle les bonnes choses ne vont jamais durer dans ma vie, soit brisée et se retourne contre elle-même, au nom de Jésus-Christ!

18. Je déclare qu'aucun membre de ma famille ne sera affecté par les actes posés par nos ancêtres, à cause de leur sang qui coule dans nos veines, au nom de Jésus-Christ!

19. Saint-Esprit, pousse-moi à rejeter toute fausse proposition d'affaires et d'investissement que le diable voudra occasionner pour me pousser à dépenser en vain, au nom de Jésus-Christ!

20. Seigneur, démotive-moi face à toute personne qui viendra avec un faux projet, ou des mensonges pour détruire mes économies, au nom de Jésus-Christ!

21. Je brise et me libère de l'emprise de toute force ou énergie négative qui influence mes pensées, et me pousse à dépenser sans réfléchir lorsque je reçois de l'argent, au nom de Jésus-Christ!

22. Il est écrit, en **Matthieu 7 V7.8 :** *«Demandez, et l'on vous donnera ; cherchez, et vous trouverez ; frappez, et l'on vous ouvrira.» V8 «Car quiconque demande reçoit, celui qui cherche trouve, et l'on ouvre à celui qui frappe.»*

23. Esprit du Seigneur, donne-moi de merveilleuses idées pour faire fructifier et multiplier mon salaire en peu de temps, au nom de Jésus-Christ!

24. Esprit du Seigneur, donne-moi les moyens d'acheter de bonnes actions afin de multiplier mes sources de revenus, au nom de Jésus-Christ!

25. J'ordonne l'ouverture de toute source de revenus et de faveurs qui m'avait été fermée par l'esprit de pauvreté, au nom de Jésus-Christ!

26. Je brise toute pauvreté mentale qui m'empêche d'avoir des idées créatives pouvant m'amener à de grandes sources de bénédictions financières, au nom de Jésus-Christ!

27. Je brise toute malédiction de pauvreté intellectuelle, qui m'empêche d'avoir parmi mes amis des personnes riches et généreuses pouvant m'aider à réaliser mes rêves les plus fous, au nom de Jésus-Christ!

28. J'expulse de ma vie, tout suceur d'énergie et tout gaspilleur de temps que les puissances des ténèbres ont attirés dans ma vie, pour m'empêcher de me concentrer sur mon développement personnel, au nom de Jésus-Christ !

29. Que toute chose faite ou dite contre moi, pour empêcher de bonnes personnes de venir m'aider à améliorer ma vie, soit révoquée et annulée, au nom de Jésus-Christ !

30. Saint-Esprit, délivre-moi de la pauvreté et inscris-moi au rang de ceux qui transforment notre monde par leur créativité, au nom de Jésus-Christ !

31. Saint-Esprit, expulse de ma vie toute personne qui n'a rien à avoir avec ma destinée, mais qui a été attirée vers moi par les puissances maléfiques pour venir retarder mes réalisations, au nom de Jésus-Christ !

32. Je brise et me libère de toute énergie négative, générée par les malédictions et rituels envoyés contre moi, et qui ne m'attire que des problèmes, au nom de Jésus-Christ !

33. Je prophétise la destruction de tout champ magnétique maléfique que les puissances des ténèbres ont installé autour de moi pour tenir la richesse loin de ma vie, au nom de Jésus-Christ !

Recommandation : Faites chacune des prières suivantes pendant 5 minutes avant la prochaine section.

34. Que toute énergie négative provoquée par les sortilèges lancés contre mon âme, mon esprit et mon corps, empêchant les gens de m'aider à sortir de mes problèmes, soit dissipée et relâche son emprise sur ma vie, au nom de Jésus-Christ !

35. Que tout charme et sortilège qui m'ont été lancés, et qui me poussent à m'autodétruire, soient brisés et ôtés de ma vie, au nom de Jésus-Christ !

36. Je brise toute puissance maléfique qui génère en moi l'envie de faire des achats inutiles, au nom de Jésus-Christ !

37. Je supprime de mon subconscient toute semence diabolique qui me pousse à gaspiller mon argent, en vue de m'empêche d'épargner, au nom de Jésus-Christ!

38. Je libère mon subconscient de toute habitude qui m'empêche de bien gérer mon temps et mon argent de manière productive, au nom de Jésus-Christ!

39. Je libère mon sang de toute semence diabolique, qui me pousse à me maintenir dans la pauvreté à cause d'une mauvaise gestion de mes revenus, au nom de Jésus-Christ!

40. Je prophétise que je reçois la puissance divine pour résister à toute mauvaise habitude, qui me pousse à avoir un comportement destructeur lorsque je reçois de l'argent, au nom de Jésus-Christ!

41. Je brise et je me libère pour toujours de tout manque de sagesse financière, qui m'incite à investir et à faire des dépenses sans une bonne planification chaque fois que je reçois de l'argent, au nom de Jésus-Christ!

42. J'ordonne à mon corps, à mes pensées et à mon âme de rejeter les paroles de toute personne, ou puissance qui me manipule avec des incantations afin de me soutirer de l'argent, au nom de Jésus-Christ!

43. Je brise toute chose déposée dans mes mains par les forces des ténèbres et qui font que tout ce que je reçois ne dure jamais, au nom de Jésus-Christ! Amen!

PROPHÉTISER POUR REPRENDRE LE CONTRÔLE DE VOTRE DESTINÉE

Confessions bibliques

1. **Ésaïe 54 V14.15** *« Tu seras affermi par la justice ; bannis l'inquiétude, car tu n'as rien à craindre, et la frayeur, car elle n'approchera pas de toi. » V15 « Si l'on forme des complots, cela ne viendra pas de moi ; quiconque se liguera contre toi tombera sous ton pouvoir. »*

2. **Ésaïe 8 V8.9** *« Poussez des cris de guerre, peuples ! et vous serez brisés ; prêtez l'oreille, vous tous qui habitez au loin ! Préparez-vous au combat, et vous serez brisés ; préparez-vous au combat, et vous serez brisés. » V10 « Formez des projets, et ils seront anéantis ; donnez des ordres, et ils seront sans effet : car Dieu est avec nous. »*

3. **Jérémie 1 V10** *« Regarde, je t'établis aujourd'hui sur les nations et sur les royaumes, pour que tu arraches et que tu abattes, pour que tu ruines et que tu détruises, pour que tu bâtisses et que tu plantes. »*

4. **Ésaïe 62 V8.9** *« L'Éternel l'a juré par sa droite et par son bras puissant : je ne donnerai plus ton blé pour nourriture à tes ennemis, et les fils de l'étranger ne boiront plus ton vin, produit de tes labeurs ; » V9 « mais ceux qui auront amassé le blé le mangeront et loueront l'Éternel, et ceux qui auront récolté le vin le boiront, dans les parvis de mon sanctuaire. »*

Prières prophétiques

Recommandation : Faites ces prières prophétiques en insistant sur chacune d'elles.

1. Je prophétise que tout agent des ténèbres qui a un don pour lire l'avenir rien qu'en regardant dans la paume des gens, ne parviendra pas à voir ma destinée, au nom de Jésus-Christ !

2. Je prophétise que toute force des ténèbres déguisée en humain, qui essaiera de me tendre la main dans l'intention d'anéantir mes chances, ou de paralyser mon potentiel, soit immédiatement giflée par la main de Dieu, au nom puissant de Jésus-Christ !

3. Je prophétise que toute main maléfique qui me sera tendue par un agent de la sorcellerie, avec la ferme intention d'anéantir tout ce que Dieu a déposé dans ma vie, soit immédiatement brisée par la foudre de l'Éternel, au nom de Jésus-Christ !

4. Je prophétise que toutes mes vertus qui avaient été paralysées par des personnes malintentionnées au contact de leurs mains, soient restaurées au nom de Jésus-Christ !

5. Je rappelle toutes mes bénédictions et tous mes potentiels qui avaient été retirés de ma vie par une main maléfique au nom puissant de Jésus-Christ !

6. Je prophétise que toutes chances, vertus et opportunités bloquées dans ma vie au contact d'une main spirituellement envoûtée qui m'avait été tendue, soient débloquées au nom de Jésus-Christ !

7. Mes ennemis peuvent faire des réunions contre moi s'ils le veulent, mais je sais que mon Dieu est puissant et brisera leurs complots, afin de me protéger de leurs condamnations, au nom de Jésus-Christ !

8. Il est écrit, en *Job 5 V11.13 :* «*Il relève les humbles, et délivre les affligés;* » *V12* «*Il anéantit les projets des hommes rusés, et leurs mains ne peuvent les accomplir;* » *V13* «*Il prend les sages dans leur propre ruse, et les desseins des hommes artificieux sont renversés.* »

9. Je prophétise donc que tous ceux qui se réuniront pour faire des prières méchantes contre moi, seront frappés par une violente confusion et se battront jusqu'à s'entre-déchirer, au nom du puissant Jésus-Christ!

10. Seigneur! Que tout agent destructeur issu des ténèbres déguisé en chrétien qui ouvrira sa bouche pour invoquer ta colère contre moi soit immédiatement frappé par la foudre et exterminé, au nom de Jésus-Christ!

11. Je reprends le contrôle de toute partie de ma vie qui avait été négativement influencée par des personnes sans vision qui tentaient de me décourager, au nom de Jésus-Christ!

12. Je prophétise que tout ami hypocrite, qui fait de moi son centre d'intérêt dans ses conversations, et trouve toujours un moyen de dire des choses méchantes pour salir mon nom, ne réalise jamais son vœu le plus cher de me voir échouer, au nom de Jésus-Christ!

13. Je prophétise que toute personne qui manipule les gens autour de moi avec des mensonges, pour détruire ma réputation ne parviendra jamais à les retourner contre moi, au nom de Jésus-Christ!

14. Je prophétise la destruction et l'échec de la mission de tout ennemi à ma réussite, qui a décidé d'entreprendre une campagne de dénigrement pour me salir, au nom de Jésus-Christ!

15. Je brise et je me libère de toute malédiction lancée contre moi par toute personne ayant déclaré que les gens me feront toujours de belles promesses, mais qu'ils ne cesseront jamais de les reporter jusqu'à leur annulation, au nom de Jésus-Christ! Amen.

PROPHÉTISER POUR PROTÉGER
VOS SOURCES DE MIRACLE

Confessions bibliques

1. **Proverbes 5 V15.16** *«Bois les eaux de ta citerne, les eaux qui sortent de ton puits.» V16 «Tes sources doivent-elles se répandre au dehors? Tes ruisseaux doivent-ils couler sur les places publiques?»*

2. **Jérémie 17 V8** *«Il est comme un arbre planté près des eaux, et qui étend ses racines vers le courant; il n'aperçoit point la chaleur quand elle vient, et son feuillage reste vert; dans l'année de la sécheresse, il n'a point de crainte, et il ne cesse de porter du fruit.»*

3. **Malachie 3 V11.12** *«Pour vous je menacerai celui qui dévore, et il ne vous détruira pas les fruits de la terre, et la vigne ne sera pas stérile dans vos campagnes, dit l'Éternel des armées.» V12 «Toutes les nations vous diront heureux, car vous serez un pays de délices, dit l'Éternel des armées.»*

Prières prophétiques

1. Je prophétise que toute malédiction envoyée contre moi, disant que même si j'ai la chance de rencontrer de bonnes personnes pouvant m'aider, celles-ci ne parviendront jamais à le faire, est brisée et annulée au nom de Jésus-Christ!

2. Je prophétise que toute déclaration faite contre moi dans une discussion entreprise par un groupe d'amis, ayant trouvé un moyen de me juger et de me salir afin de détruire mon intégrité, soit nulle et sans effet, au nom de Jésus-Christ!

3. Je prophétise que tout ennemi qui rêve de me voir chuter, souffrir et échouer ici-bas, ne verra cela que dans sa propre vie, au nom de Jésus-Christ!

4. Je proclame que tous vœux maléfiques faits contre moi, par un ennemi disant qu'il arrivera une tragédie à mes bienfaiteurs avant même qu'ils n'accomplissent les promesses qu'ils m'ont faites, sont brisés au nom de Jésus-Christ!

5. Je prophétise l'annulation de toutes les déclarations et pratiques occultes envoyées contre moi par une personne voulant qu'il m'arrive un malheur avant l'accomplissement de ma destinée, au nom de Jésus-Christ!

6. Je prophétise qu'il arrivera à mes ennemis et à ceux qui combattent ma destinée, la tragédie qu'ils m'ont souhaitée avant la date qu'ils ont fixée pour que celle-ci m'affecte, au nom de Jésus-Christ!

7. Je déclare que tout événement tragique programmé contre moi pour mettre fin à ma vie au seuil de ma percée, ne m'affectera jamais et retombera sur la tête de ceux qui l'ont programmé, au nom de Jésus-Christ!

8. Je prophétise que tout pouvoir des ténèbres qui a décidé de me tuer avant que mon étoile ne brille, échouera et mourra à ma place avant la date de sa mission de destruction préparée contre moi, au nom de Jésus-Christ!

9. Je déclare que toute force maléfique qui refuse de me laisser monter sur le trône de prospérité que mon Dieu m'a prédestiné, soit frappée en plein cœur par la foudre et libère ma vie, au nom de Jésus-Christ!

10. Je prophétise que tout agent des ténèbres qui tentera de sortir spirituellement de son corps pour venir contre moi, mourra le jour même de son attaque, au nom de Jésus-Christ!

11. Je prophétise que je ne ferai pas partie d'une liste de personnes que l'on classe parmi les ratés qui n'ont rien réalisé avec le fruit de leurs efforts, au nom de Jésus-Christ!

12. Je prophétise que ma vie ne sera pas un exemple d'échec qui servira à enseigner à ceux qui rêvent du succès, au nom de Jésus-Christ!

13. Je prophétise que dans peu de temps, je ferai partie de ceux qui ont positivement marqué l'histoire de l'humanité, en réalisant de grandes choses, au nom puissant de Jésus-Christ!

14. Je prophétise que toute force maléfique qui viendra des ténèbres pour s'opposer à ma vision et à mes opportunités, soit frappée et décapitée par le glaive de l'Éternel des armées, au nom de Jésus-Christ!

15. J'ordonne au glaive de l'Éternel de frapper et de découper tout pouvoir qui opère contre moi dans les profondeurs des eaux et de la terre, pour freiner mon progrès, au nom puissant de Jésus-Christ!

16. Que tout esprit démoniaque à la base des nombreuses confusions dans mon foyer et dans mon entourage soit écrasé par une pierre de mille tonnes et meure, au nom de Jésus-Christ!

17. Il est écrit en **Psaume 103 V19.20** : *«l'Éternel a établi son trône dans les cieux, et son règne domine sur toutes choses.»* *V20 «Bénissez l'Éternel, vous ses anges, qui êtes puissants en force, et qui exécutent ses ordres, en obéissant à la voix de sa parole!»*

18. Anges de l'Éternel, je vous demande de frapper et de consumer toute force à la base de mes chagrins et de mes déceptions, jusqu'à sa destruction au nom puissant de Jésus-Christ!

19. Je prophétise la fin du règne de tout géant et de toute force des ténèbres qui ont longtemps dominé sur ma famille et sa descendance, au nom puissant du Seigneur Jésus-Christ!

20. J'arrête toute bataille à laquelle je suis confronté dans mes affaires et dans ma relation intime, depuis des décennies, au nom de Jésus-Christ!

21. Je brise toutes malédictions attachées à ma vie et à mon sang, et qui font que même si je suis la personne la mieux placée, d'autres sont toujours sélectionnées et favorisées à ma place, au nom de Jésus-Christ!

22. Je prophétise que tout problème et toute maladie contre lesquels je lutte depuis des années, soient détruits par la hache de Dieu et prennent fin aujourd'hui, au nom puissant de Jésus-Christ!

23. Je prophétise que toute incantation chantée contre moi pour repousser les gens que le Saint-Esprit connecte à ma vie pour m'aider à réaliser mes désirs, soit nulle et sans effet au nom puissant de Jésus-Christ!

24. Je brise toute pratique occulte faite contre moi par la sorcellerie, et qui fait que chaque fois que mon tour vient d'être aidé et favorisé, des problèmes viennent de nulle part pour tout gâcher, au nom de Jésus-Christ!

25. Je prophétise que tout rituel de sorcellerie, fait dans le but que tout ce que je demande soit refusé, soit brisé et annulé, au nom de Jésus-Christ!

26. J'invoque le marteau de Dieu pour briser toute chose dite ou faite contre moi par mes ennemis, faisant en sorte que chaque fois que ma bouche annonce une chose, celle-ci ne se réalise jamais, au nom de Jésus-Christ!

27. Anges de l'Éternel, saisissez vos armes et abattez toutes les forces maléfiques qui combattent immédiatement et bloquent tout ce que ma bouche annonce, pour me décourager, au nom de Jésus-Christ!

28. Je prophétise la faveur sur ma vie, et je déclare que je recevrai les moyens et les idées nécessaires, pour terminer toutes bonnes choses que la sorcellerie m'a forcé à interrompre, au nom de Jésus-Christ!

29. Je prophétise que toute personne qui espère voir mon rêve devenir un cauchemar ne verra que sa propre vie s'écrouler et sera humiliée par ma percée internationale, au nom de Jésus-Christ!

30. Je prophétise que toute force des ténèbres qui s'est fixé une date pour me tuer, ou me détruire, mourra à ma place avant la date prévue pour mettre fin à ma destinée, au nom de Jésus-Christ!

Recommandation : Veuillez faire le point de prière numéro 31 pendant 3 minutes avant de poursuivre.

31. J'invoque les anges de Dieu qui ont détruit Sodome et Gomorrhe, et je leur ordonne de retrouver toute association maléfique qui m'a réduit au silence à cause de mes prières, raison pour laquelle je ne parviens plus à avoir la force pour prier, et de les disperser par la foudre, au nom de Jésus-Christ!

32. Je prophétise que tout malheur, toute malédiction et toute interdiction envoyés contre moi, quelle que soit la provenance, retombent immédiatement sur la tête de son expéditeur, pour l'anéantir, au nom de Jésus-Christ!

33. J'invoque le marteau de l'esprit vengeur de l'Éternel, pour frapper et foudroyer tout obstacle installé sur mon chemin par la sorcellerie, en vue de ralentir mes réalisations, au nom de Jésus-Christ!

34. J'invoque une armée d'anges de destruction massive, pour frapper et disperser tous les pouvoirs et toutes les forces ténébreuses, qui veulent utiliser mes enfants et moi comme esclaves de la sorcellerie, au nom de Jésus-Christ!

35. Je prophétise que toute force des ténèbres qui réclame ma tête et exige que mon sang soit versé avant la fin de cette année, soit brisée et exécutée à ma place par l'esprit vengeur de l'éternel Dieu, au nom de Jésus-Christ!

36. Je prophétise que tout pouvoir qui souhaite voir ma tête tomber cette année, et mon cadavre exposé sous une tente, mourra et sera enterré à ma place, au nom de Jésus-Christ!

37. Je prophétise que je réussirai dans tous les domaines de ma vie, au nom puissant du Seigneur Jésus-Christ!

38. Merci Seigneur Dieu tout-puissant, de m'avoir une fois de plus manifesté ta bonté en exauçant, au nom puissant de ton fils Jésus-christ! Amen.

PROPHÉTISER DE GRANDES BÉNÉDICTIONS

Confessions bibliques

1. ***Deutéronome 28 V12.13*** *«L'Éternel t'ouvrira son bon trésor, le ciel, pour envoyer à ton pays la pluie en son temps et pour bénir tout le travail de tes mains ; tu prêteras à beaucoup de nations, et tu n'emprunteras point.» V13 «L'Éternel fera de toi la tête et non la queue, tu seras toujours en haut et tu ne seras jamais en bas, lorsque tu obéiras aux commandements de l'Éternel, ton Dieu, que je te prescris aujourd'hui, lorsque tu les observeras et les mettras en pratique.»*

2. ***Ésaïe 60 V11.12*** *«Tes portes seront toujours ouvertes, elles ne seront fermées ni jour ni nuit, afin de laisser entrer chez toi les trésors des nations, et leurs rois avec leur suite.» V12 «Car la nation et le royaume qui ne te serviront pas périront, ces nations-là seront exterminées.»*

3. ***Ésaïe 60 V5*** *«Tu tressailliras alors et tu te réjouiras, et ton cœur bondira et se dilatera, quand les richesses de la mer se tourneront vers toi, quand les trésors des nations viendront à toi.»*

4. ***Nombres 23 V19*** *«Dieu n'est point un homme pour mentir, ni fils d'un homme pour se repentir. Ce qu'il a dit, ne le fera-t-il pas? Ce qu'il a déclaré, ne l'exécutera-t-il pas?»*

5. ***Ésaïe 45 V19*** *«Je n'ai point parlé en cachette dans un lieu ténébreux de la terre; je n'ai point dit à la postérité de Jacob: cherchez-moi vainement! Moi, l'Éternel, je dis ce qui est vrai, je proclame ce qui est droit.»*

Prières prophétiques

1. Je prophétise que toute main qui travaille en ma faveur ne s'arrêtera jamais, jusqu'à l'accomplissement de mon projet, au nom de Jésus-Christ!

2. Je prophétise que la chance m'accompagnera partout où je me rendrai, quelle que soit la raison, au nom puissant de Jésus-Christ!

3. Je prophétise que toute personne qui croisera mon chemin aura compassion de moi et m'accordera la faveur, en déversant des bénédictions financières sur ma vie, au nom de Jésus-Christ!

Recommandation : Veuillez faire les points de prières 4 et 5 pendant 8 minutes avant de poursuivre.

4. Je prophétise que cette année, il y aura une explosion de bénédictions financières et d'opportunités dans ma vie, à tel point que je ne cesserai de voyager pour la signature de grands contrats d'affaires, au nom de Jésus-Christ!

5. Je prophétise que l'Esprit de Dieu déclenche dans ma vie une grande pluie de bénédictions financières, de faveurs et d'invitations, pour aller partout dans le monde, au nom de Jésus-Christ!

6. Il est écrit, en ***Ésaïe 49 V22.23 :*** *«Ainsi a parlé le Seigneur, l'Éternel : Voici : je lèverai ma main vers les nations, je dresserai ma bannière vers les peuples; et ils ramèneront tes fils entre leurs bras, ils porteront tes filles sur les épaules.» V23 «Des rois seront tes nourriciers, et leurs princesses tes nourrices; ils se prosterneront devant toi la face contre terre, et ils lécheront la poussière de tes pieds, et tu sauras que je suis l'Éternel, et que ceux qui espèrent en moi ne seront point confus.»*

7. ***Ésaïe 49 V25.26*** *«Oui, dit l'Éternel, la capture du puissant lui sera enlevée, et le butin du tyran lui échappera; je combattrai tes ennemis, et je sauverai tes fils.» V26 «Je ferai manger à tes oppresseurs leur propre chair; ils s'enivreront de leur sang comme du moût; et toute chair saura que je suis l'Éternel, ton sauveur, ton rédempteur, le puissant de Jacob.»*

8. ***Ésaïe 60 V11*** *«Tes portes seront toujours ouvertes, elles ne seront fermées ni jour ni nuit, afin de laisser entrer chez toi les trésors des nations, et leurs rois avec leur suite.»*

9. Je prophétise que l'Esprit de Dieu vient des quatre vents, souffle sur moi l'onction de faveur et de grâce, pour réussir partout dans le monde au nom puissant de Jésus-Christ!

10. Je prophétise que je recevrai l'onction pour trouver compassion aux yeux de tout le monde, de telle manière que de hautes personnalités m'inviteront pour entendre mon témoignage, au nom puissant de Jésus-Christ!

11. Je prophétise que le Saint-Esprit souffle sur moi les quatre vents de Dieu et expulse de ma vie les amis négatifs et hypocrites, qui rongent ma destinée en secret avec de fausses accusations et des commérages, au nom de Jésus-Christ!

12. Je prophétise que le Saint-Esprit souffle et déverse sur moi, l'onction de grâce et expulse la médiocrité de ma vie, au nom puissant de Jésus-Christ!

13. ***Ésaïe 46 V10.11*** *«J'annonce dès le commencement ce qui doit arriver, et longtemps d'avance ce qui n'est pas encore accompli ; Je dis : mes arrêts subsisteront, et j'exécuterai toute ma volonté.» V11 «C'est moi qui appelle de l'orient un oiseau de proie, d'une terre lointaine un homme pour accomplir mes desseins, Je l'ai dit, et je le réaliserai ; Je l'ai conçu, et je l'exécuterai.»*

Recommandation : Veuillez faire les 5 points de prières suivants pendant 15 minutes, avant de poursuivre.

14. Je prophétise que par sa puissance, l'Éternel me connecte aux décideurs et dirigeants des nations, capables de décaisser des millions pour m'aider sans hésiter, au nom de Jésus-Christ !

15. Je prophétise que l'Esprit du Seigneur souffle sur moi l'onction de bénédiction, pour briser toutes les malédictions et tous les envoûtements, qui empêchent les gens de me faire confiance, au nom de Jésus-Christ !

16. Je prophétise que l'Éternel fait souffler sur moi un vent puissant pour dégager tout voile maléfique que les forces des ténèbres utilisent, pour empêcher les bienfaiteurs et de bonnes choses de me localiser, au nom du Seigneur Jésus-Christ !

17. J'invoque la lumière du Saint-Esprit pour dissiper toute obscurité que la sorcellerie a mise sur moi, pour faire en sorte que je sois toujours rejeté et combattu sans raison valable, au nom de Jésus-Christ !

18. Je prophétise que cette année, le Saint-Esprit me connectera à des personnes riches et puissantes pour m'aider financièrement à réaliser mon plus beau rêve, sans conditions de remboursement, au nom de Jésus-Christ !

Recommandation : veuillez faire les cinq derniers points de prières de cette section pendant 8 minutes avant de poursuivre.

19. Je prophétise que le Saint-Esprit de Dieu souffle sur ma vie et mes affaires, l'onction de percée mondiale et incline tous les cœurs en ma faveur, au nom de Jésus-Christ!

20. Je prophétise que toutes sources de bénédictions et de faveurs que mes ennemis avaient coupées pour me punir, s'ouvrent plus grandement et coulent à nouveau sur ma vie, au nom puissant de Jésus-Christ!

21. Je prophétise que toutes portes d'opportunités que mes oppresseurs m'avaient fermées par jalousie, s'ouvrent et laissent entrer les trésors des nations dans ma vie, au nom de Jésus-Christ!

22. Je prophétise que le Saint-Esprit me reconnecte à tout bien-faiteur dont j'avais été déconnecté par les puissances des ténèbres, et réactive toutes les promesses annulées, au nom de Jésus-Christ!

23. Je prophétise que des contrats d'affaires pour aller dans le monde entier et des aides financières ne cessent de pleuvoir sur ma vie, au nom puissant du Seigneur Jésus-Christ! Amen.

PRIÈRES PROPHÉTIQUES POUR AVOIR UNE DIRECTION DIVINE

Confessions bibliques

1. ***Ésaïe 45 V1.3*** «*Ainsi parle l'Éternel à son oint, à Cyrus, qu'il tient par la main, pour terrasser les nations devant lui, et pour relâcher la ceinture des rois, pour lui ouvrir les portes, afin qu'elles ne soient plus fermées;*» *V2* «*Je marcherai devant toi, j'aplanirai les chemins montueux, je romprai les portes d'airain, et je briserai les verrous de fer.*» *V3* «*Je te donnerai des trésors cachés, des richesses enfouies, afin que tu saches que je suis l'Éternel qui t'appelle par ton nom, Le Dieu d'Israël.*»

2. ***Ésaïe 60 V11*** *« Tes portes seront toujours ouvertes, elles ne seront fermées ni jour ni nuit, afin de laisser entrer chez toi les trésors des nations, et leurs rois avec leur suite. »*

3. ***Psaume 24 V7.8*** *« Portes, élevez vos linteaux ; élevez-vous, portes éternelles ! Que le roi de gloire fasse son entrée ! »* *V8* *« Qui est ce roi de gloire ? L'Éternel fort et puissant, L'Éternel puissant dans les combats. »*

4. ***Ésaïe 58 V11*** *L'Éternel sera toujours ton guide, Il rassasiera ton âme dans les lieux arides, et il redonnera de la vigueur à tes membres ; tu seras comme un jardin arrosé, comme une source dont les eaux ne tarissent pas.*

5. ***Genèse 28 V15*** *« Voici, je suis avec toi, je te garderai partout où tu iras, et je te ramènerai dans ce pays ; car je ne t'abandonnerai point, que je n'aie exécuté ce que je te dis. »*

6. ***Deutéronome 31 V8*** *« L'Éternel marchera lui-même devant toi, il sera lui-même avec toi, il ne te délaissera point, il ne t'abandonnera point ; ne crains point, et ne t'effraie point. »*

Prières prophétiques

7. Merci, Seigneur, pour l'occasion que tu me donnes, pour voir la manifestation de ta puissance de délivrance, au travers de ces prières prophétiques, au nom de Jésus-Christ !

8. Je te loue et je t'adore pour toutes les portes d'opportunités que tu m'ouvres en ce moment même, avant que je ne commence cette prière, au nom de Jésus-Christ !

9. Merci, Seigneur, de m'avoir exaucé, car je sais que toutes les prières faites en ton nom et avec sincérité trouvent toujours une réponse favorable, au nom de Jésus-Christ !

10. Il est écrit, en ***Psaume 145 V17.19 :*** *« L'Éternel est juste dans toutes ses voies, et miséricordieux dans toutes ses œuvres. »* *V18* *« L'Éternel est près de tous ceux qui l'invoquent, de tous ceux qui l'invoquent avec sincérité ; »* *V19* *« Il accomplit les désirs de ceux qui le craignent, il entend leur cri et il les sauve. »*

11. Je confesse que le Dieu d'Abraham, d'Isaac et de Jacob est puissant pour défendre ma cause, et n'échouera pas dans cette situation que je traverse, au nom de Jésus-Christ!

12. Saint-Esprit, viens des quatre vents, souffle sur moi avec ta puissance de restauration, et dispose des personnes généreuses sur mon chemin pour m'aider sans que je sois forcé de les supplier pour le faire, au nom de Jésus-Christ!

13. Seigneur Dieu tout-puissant, ouvre-moi davantage de portes d'opportunités, et envoie des gens des quatre coins du monde pour accomplir tes promesses dans ma vie, au nom de Jésus-Christ!

14. Seigneur, couvre-moi de ton pouvoir qui connecte les compatibles l'un à l'autre, et donne-moi la puissance d'attraction, pour attirer de bonnes choses dans ma vie et de bonnes personnes par mes pensées, au nom de Jésus-Christ!

15. Dieu d'Abraham, d'Isaac et de Jacob! Souviens-toi avoir déclaré, en **Ésaïe 41 V17.18 :** *«Les malheureux et les indigents cherchent de l'eau, et il n'y en a point; leur langue est desséchée par la soif. Moi, l'Éternel, je les exaucerai; moi, le Dieu d'Israël, Je ne les abandonnerai pas.» V18 «Je ferai jaillir des fleuves sur les collines, et des sources au milieu des Vallées; Je changerai le désert en étang, et la terre aride en courants d'eau.»*

16. Seigneur, mets ta puissance dans ma bouche, pour que tout ce que je déclare de bon se manifeste exactement à la date que je me fixerai, au nom de Jésus-Christ!

17. Seigneur, guide mes pas et amène-moi aux bons endroits pour croiser les bonnes personnes pouvant m'aider à régler mes difficultés, au nom de Jésus-Christ!

18. Saint-Esprit, assigne-moi des anges pour empêcher que je me retrouve hors du chemin des gens que tu as préparés pour m'aider, au nom de Jésus-Christ!

19. Seigneur Éternel, envoie des personnes compatibles à ma vision, qui m'apporteront leurs contributions pour compléter ma mission sur terre, au nom de Jésus-Christ!

20. Esprit du Seigneur, viens des quatre vents, souffle sur moi et conduis-moi toujours au bon endroit, pour obtenir exactement ce que je cherche, au nom de Jésus-Christ!

21. Dieu tout-puissant, fais que je sois toujours à l'heure pour saisir les opportunités, au nom de Jésus-Christ!

22. Saint-Esprit! Si je dois prendre un vol ou faire un voyage qui risquerait de se terminer par une tragédie, annule-le et empêche-moi de l'effectuer, au nom de Jésus-Christ!

23. Seigneur, si l'ennemi m'incite à prendre une décision qui me mènera directement dans un piège mortel, fais en sorte que je ne mette jamais cette décision en œuvre et que je l'annule, au nom de Jésus-Christ!

24. Seigneur, si l'ennemi plante dans mon esprit de mauvaises idées et inspirations, retire-les immédiatement sans leur donner le temps de germer, au nom de Jésus-Christ!

25. Il est écrit en ***Ésaïe 45 V2.3 :*** *«Je marcherai devant toi, J'aplanirai les chemins montueux, je romprai les portes d'airain, et je briserai les verrous de fer.» V3 «Je te donnerai des trésors cachés, des richesses enfouies, afin que tu saches que je suis l'Éternel qui t'appelle par ton nom, Le Dieu d'Israël.»*

26. Esprit de l'Éternel, fais que je me retrouve chaque jour dans les bonnes circonstances, pour saisir des opportunités selon ton plan, au nom de Jésus-Christ!

Recommandation : veuillez faire les quatre derniers points de prières de cette section pendant 10 minutes avant de poursuivre.

27. Saint-Esprit, que ta voix soit plus claire et compréhensible dans mon esprit, et donne-moi le discernement et la force nécessaires pour rejeter toute voix démonique qui me donne des ordres depuis le monde des ténèbres, au nom de Jésus-Christ!

28. Que toutes les voix venant des démons ou des esprits impurs cherchant à me confondre, ou à détruire les idées créatives que l'Esprit de Dieu m'inspire, soient frappées et réduites au silence par la foudre, au nom de Jésus-Christ!

29. Saint-Esprit, donne-moi l'intelligence pour discerner ta voix de celle du diable, afin que j'accorde plus d'importance à ta volonté, au nom puissant de Jésus-Christ!

30. Saint-Esprit, donne-moi la sagesse pour ne pas prendre de mauvaises décisions, et pousse-moi de force dans ton plan, même s'il m'arrive souvent de ne pas comprendre ta volonté, au nom puissant du Seigneur Jésus-Christ! Amen!

PROPHÉTISER POUR PRENDRE AUTORITÉ SUR L'HOMME FORT

Confessions bibliques

1. Il est écrit en **Luc 10 V18.19 :** *«Jésus leur dit : Je voyais Satan tomber du ciel comme un éclair.» V19 «Voici, je vous ai donné le pouvoir de marcher sur les serpents et les scorpions, et sur toute la puissance de l'ennemi; et rien ne pourra vous nuire.»*

2. **Philippiens 2 V9.11** *«C'est pourquoi aussi Dieu l'a souverainement élevé, et lui a donné le nom qui est au-dessus de tout nom,» V10 «Afin qu'au nom de Jésus tout genou fléchisse dans les cieux, sur la terre et sous la terre,» V11 «Et que toute langue confesse que Jésus-Christ est Seigneur, à la gloire de Dieu le Père.»*

3. **Ésaïe 45 V23** *«Je le jure par moi-même, la vérité sort de ma bouche et ma parole ne sera point révoquée : Tout genou fléchira devant moi, toute langue jurera par moi.»*

4. **Josué 1 V5.6** *«Nul ne tiendra devant toi, tant que tu vivras. Je serai avec toi, comme J'ai été avec Moïse ; Je ne te délaisserai point, je ne t'abandonnerai point.» V6 «Fortifie-toi et prends courage, car c'est toi qui mettras ce peuple en possession du pays que j'ai juré à leurs pères de leur donner.»*

Prières prophétiques

1. Je prophétise que tout genou qui m'a longtemps résisté, fléchisse devant ma prière et libère mes bénédictions, au nom de Jésus-Christ !

2. Ainsi parle le Seigneur, l'Éternel ! Esprit de faveur, de succès, de santé et d'opportunités multiples, venez des quatre vents, soufflez puissamment sur moi et inclinez tous les cœurs en ma faveur, au nom de Jésus-Christ !

3. Je reçois l'onction et la puissance du Saint-Esprit pour réussir tous mes projets, au nom puissant de Jésus-Christ !

4. Je prophétise que toutes paroles que j'ai déclarées ne seront pas ignorées au ciel, et seront exaucées immédiatement, au nom de Jésus-Christ !

5. Je prophétise qu'à partir d'aujourd'hui, toutes les paroles que je déclare soient exaucées et m'apportent des réponses immédiates, au nom de Jésus-Christ !

6. Je prophétise que toute principauté et toute reine de la nuit établie sur ma vie par le royaume des ténèbres, soient détrônées et perdent leurs pouvoirs sur moi et ma descendance, au nom de Jésus-Christ !

7. J'ordonne que tous les géants dans les ténèbres, qui font obstacle à ma percée soient foudroyés et réduits en cendres par le canon de l'Éternel des armées, et meurent, au nom de Jésus-Christ !

Recommandation : Veuillez faire chacun des 8 points de prières suivants pendant 5 minutes avant la prochaine instruction.

8. Je prophétise que toute-puissance des ténèbres en colère qui viendra détruire, déprogrammer ou annuler mes opportunités sera violemment frappé et coupé en deux par une boule de feu, au nom de Jésus-Christ!

9. Je prophétise que tout agent des ténèbres qui téléchargera mes photos à partir des réseaux sociaux, pour aller me faire du mal, soit frappé en plein cœur et transpercé par la lance de l'esprit vengeur de l'Éternel des armées, au nom de Jésus-Christ!

10. Je prophétise que toute-puissance des ténèbres qui tentera d'utiliser mes chaussures et mes vêtements pour maudire ma destinée, recevra la foudre en plein cœur et mourra, au nom de Jésus-Christ!

11. Je prophétise que tout ennemi de ma vie qui invoquera des esprits maléfiques pour venir troubler mon mariage, mes projets et mes finances entre minuit et 5 h du matin, soit exterminé par les anges de destruction massive au nom de Jésus-Christ!

12. Marteau de l'Éternel, frappe et explose la tête de tout partisan du royaume des ténèbres, qui utilise la magie et les rituels pour semer la zizanie dans mes pensées et mes relations, au nom de Jésus-Christ!

13. Épée de l'Éternel, je te le demande, au nom de Jésus-Christ! Réveille-toi avec fureur et décapite tout adepte de la magie et de la sorcellerie, qui récite des formules magiques et invoque des esprits démoniaques, pour les envoyer contre moi, au nom de Jésus-Christ!

14. Marteau de l'Éternel, frappe et brise le bouclier de protection de l'homme fort à la base de mes problèmes et fracasse son crâne, au nom de Jésus-Christ!

15. Bras de l'Éternel, saisis la tête et brise le cou de tout homme fort, qui pratique la magie de combat contre moi pour détruire ma vie, au nom de Jésus-Christ!

Précision : Notez bien que certaines prières de cette section concernent les personnes dont les membres de la famille sont impliqués dans la pratique de la sorcellerie.

16. Je prophétise que toute autorité dans les ténèbres qui exige ma mort avant la fin de cette année, reçoive la foudre en pleine gorge et meure à ma place, au nom de Jésus-Christ !

17. Saint-Esprit, punis et détruis toute force qui refuse de restituer mes bénédictions et cherche à les échanger, au nom de Jésus-Christ !

18. Je prophétise que je reçois l'onction d'autorité et de percée, pour prospérer à tous les égards, au nom de Jésus-Christ !

19. J'invoque la foudre, les éclairs et les anges de destruction massive, pour poursuivre et anéantir toute autorité dans les ténèbres, qui exige mon sang et ma tête aux sorciers de ma famille, au nom de Jésus-Christ !

20. Je prophétise que tout dirigeant dans les ténèbres qui a ordonné ma mort cette année, soit abattu et décapité par l'Esprit vengeur, et meure à ma place, au nom de Jésus-Christ !

21. Je prophétise la destruction et l'annulation de tout contrat maléfique, par lequel ma famille m'avait vendu dans la sorcellerie, au nom de Jésus-Christ !

22. Je décrète ma libération de toute captivité et emprise que les forces du mal exerçaient sur moi, pour bloquer ma destinée au nom de Jésus-Christ !

23. Je prophétise la restitution de toutes les choses dont j'ai été spirituellement dépouillé depuis ma naissance jusqu'à ce jour, au nom de Jésus-Christ !

24. Je rappelle dans ma vie toute chance et vertu qui m'ont été retirées à cause des rapports sexuels, par ceux avec qui j'étais dans le passé jusqu'à ce jour, au nom de Jésus-Christ !

25. Je prophétise que le sang de Jésus détruit et annule tout contrat et pacte signés entre les membres de ma famille et leurs alliés dans la sorcellerie pour me vendre, au nom de Jésus-Christ!

26. Je prophétise que mes ennemis périront eux-mêmes par les accidents et tragédies qu'ils ont programmés contre moi et mes enfants, s'il ne les annule pas au nom de Jésus-Christ!

27. Je prophétise que toute personne, parmi mes amis et mes proches parents, utilisant les forces de la sorcellerie pour me décourager et me manipuler, ne parviendront jamais à me détourner de mon objectif, au nom de Jésus-Christ!

28. Je paralyse toute langue qui m'influence avec de mauvais jugements et commentaires pour m'empêcher de poursuivre mon rêve, au nom de Jésus-Christ!

29. Je prophétise que je reçois la sagesse et l'intelligence, pour faire la différence entre le mensonge et la vérité, au nom de Jésus-Christ!

30. Je prophétise l'annulation et la destruction de tout ce que le royaume des ténèbres a programmé contre ma famille et moi dès maintenant jusqu'aux vingt années à venir, au nom puissant de Jésus-Christ! Amen.

PROPHÉTISER POUR DÉTRUIRE LES ŒUVRES DES FAUX PROPHÈTES

Confessions bibliques

1. Seigneur Dieu tout-puissant! Souviens-toi qu'il est écrit, *en* ***Ésaïe 44 V25.26*** : *«J'anéantis les signes des prophètes de mensonge, et je proclame insensés les devins; Je fais reculer les sages, et Je tourne leur science en folie.»* V26 *«Je confirme la parole de mon serviteur, et j'accomplis ce que prédisent mes envoyés; Je dis de Jérusalem : Elle sera habitée, et des villes de Juda : elles seront rebâties; et je relèverai leurs ruines.»*

2. ***Job 5 V20.21*** *«Il te sauvera de la mort pendant la famine, Et des coups du glaive pendant la guerre.»* V21 *«Tu seras à l'abri du fléau de la langue, Tu seras sans crainte quand viendra la dévastation.»*

3. ***Psaume 31 V20*** *«Tu les protèges sous l'abri de ta face contre ceux qui les persécutent, tu les protèges dans ta tente contre les langues qui les attaquent.»*

4. ***Ésaïe 54 V17*** *«Toute arme forgée contre toi sera sans effet; et toute langue qui s'élèvera en justice contre toi, tu la condamneras. Tel est l'héritage des serviteurs de l'Éternel, tel est le salut qui leur viendra de moi, dit l'Éternel.»*

Prières prophétiques

1. Seigneur éternel des armées, exécute ta parole dans ma vie en détruisant toutes les mauvaises prédictions et révélations que j'ai reçues des faux prophètes qui m'ont influencé au point que, je ne parviens pas à savoir quelle est ta volonté parfaite pour moi, au nom de Jésus-Christ!

2. Je prophétise que toute personne dont la mission est de me détourner de mon but ne parviendra pas à m'influencer avec ses fausses révélations, au nom de Jésus-Christ!

3. Je prophétise que toute personne dont la mission est de me distraire afin de me dévier du vrai but de mon existence ne parviendra jamais à me faire suivre un faux chemin, au nom de Jésus-Christ!

4. Je prophétise que toute fausse révélation, dont la mission est de faire obstacle à ma destinée soit brisée et perde son emprise sur mon esprit, au nom de Jésus-Christ!

5. Je prophétise que tout faux prophète qui aura pour objectif de me soutirer de l'argent en utilisant de fausses révélations échouera au nom du Seigneur Jésus-Christ!

6. Je prophétise que toute personne envoyée par le diable au seuil de mon miracle pour me faire une proposition visant à me détourner du plan de Dieu, ne parviendra jamais à me convaincre avec ses fausses opportunités, au nom de Jésus-Christ!

7. Saint-Esprit de Dieu, humilie et détruis toute manipulation exercée sur moi par toute personne qui prétend avoir fait un rêve sur moi, et qui sème le doute et la confusion dans mon esprit, au nom de Jésus-Christ!

8. Saint-Esprit de Dieu, éloigne-moi de toute personne qui me donne des révélations basées sur des mensonges pour m'inciter à suivre un mirage à la place du plan de Dieu, au nom de Jésus-Christ!

9. Que toute personne possédée de l'esprit de python qui me donne de fausses révélations et prophéties pour me détourner du plan de Dieu, soit poursuivie par les anges de Dieu et expulsée de ma vie, au nom de Jésus-Christ!

10. Saint-Esprit, brise toute prophétie mensongère qui m'a été donnée il y a des décennies, et qui m'aveugle complètement devant de nouvelles opportunités que je refuse de saisir, sous prétexte que Dieu m'a déjà révélé sa volonté, au nom de Jésus-Christ!

PROPHÉTISER LA DESTRUCTION
DES BARRIÈRES INVISIBLES

Confessions bibliques

1. **Ésaïe 45 V1.3** «*Ainsi parle l'Éternel à son oint, à Cyrus, qu'il tient par la main, pour terrasser les nations devant lui, et pour relâcher la ceinture des rois, pour lui ouvrir les portes, afin qu'elles ne soient plus fermées»; V2 «Je marche-rai devant toi, J'aplanirai les chemins montueux, Je romprai les portes d'airain, et Je briserai les verrous de fer.» V3 «Je te donnerai des trésors cachés, des richesses enfouies, afin que tu saches que je suis l'Éternel qui t'appelle par ton nom, Le Dieu d'Israël.»*

2. **Jérémie 51 V58** «*Ainsi parle l'Éternel des armées : les larges murailles de Babylone seront renversées, ses hautes portes seront brûlées par le feu; ainsi les peuples auront travaillé en vain, les nations se seront fatiguées pour le feu.»*

3. **Ésaïe 57 V14.16** «*On dira : Frayez, frayez, préparez le chemin, enlevez tout obstacle du chemin de mon peuple!»* V15 «*Car ainsi parle le Très Haut, dont la demeure est éter-nelle et dont le nom est saint : J'habite dans les lieux élevés et dans la sainteté; mais je suis avec l'homme contrit et humilié, afin de ranimer les esprits humiliés, afin de ranimer les cœurs contrits.»*

4. **Ésaïe 62 V10** «*Franchissez, franchissez les portes! Préparez un chemin pour le peuple! Frayez, frayez la route, ôtez les pierres! Élevez une bannière vers les peuples!»*

5. **Ésaïe 35 V8** «*Il y aura là un chemin frayé, une route, qu'on appellera la voie sainte; nul impur n'y passera; elle sera pour eux seuls; ceux qui la suivront, même les insensés, ne pourront s'égarer.»*

6. **_Ésaïe 40 V3_** _«Une voix crie : Préparez au désert le chemin de l'Éternel, aplanissez dans les lieux arides une route pour notre Dieu. »_

Prières prophétiques

1. J'invoque le marteau de Dieu pour frapper et disperser tout mur invisible établi par les forces des ténèbres sur le chemin de ma destinée afin de m'empêcher de progresser, au nom de Jésus-Christ !

2. Il est écrit, en **_Ésaïe 41 V15 :_** _«Voici, je fais de toi un traîneau aigu, tout neuf, garni de pointes ; Tu écraseras, tu broieras les montagnes, Et tu rendras les collines semblables à de la balle. »_ V16 _«Tu les vanneras, et le vent les emportera, Et un tourbillon les dispersera. Mais toi, tu te réjouiras en l'Éternel, tu mettras ta gloire dans le Saint d'Israël. »_

3. J'invoque un violent tourbillon de feu pour disperser tous ceux qui se sont physiquement ou spirituellement ligués contre moi pour anéantir ma vie, au nom puissant de Jésus-Christ !

4. J'ordonne aux quatre vents de Dieu de souffler avec impétuosité jusqu'à l'anéantissement de tous ceux qui se sont spirituellement attrapé les mains, afin de m'empêcher d'atteindre mon but, au nom de Jésus-Christ !

5. J'invoque les anges de destruction pour pourchasser et éloigner de moi toute force de la sorcellerie déguisée en ami, mais qui en réalité est une informatrice du royaume des ténèbres, au nom de Jésus-Christ !

6. Tonnerre de l'Éternel, poursuis et expulse de ma vie tout sorcier déguisé en ami dont le simple fait d'être autour de moi, détruit et fait échouer tout ce que ma bouche annonce, au nom de Jésus-Christ !

7. Seigneur, lève-toi, crée une circonstance pour me bénir et délivre-moi de l'ignorance qui ronge mon destin depuis des années, au nom de Jésus-Christ!

8. Saint-Esprit, expulse de ma vie tout agent informateur du royaume des ténèbres dont la mission est de veiller à ce que ma vie ne prospère jamais, au nom de Jésus-Christ!

9. Je rappelle toute bonne personne que Dieu avait connectée à ma vie pour m'aider à réaliser mon rêve, et qui a été repoussée et éloignée de moi par les puissances de la sorcellerie, au nom de Jésus-Christ!

10. Je prophétise que tous les investisseurs ou les bienfaiteurs financiers que je devrais rencontrer depuis des années, mais qui ne parvenaient pas à me retrouver, me localisent maintenant, au nom de Jésus-Christ!

11. Je prophétise que toute malédiction voulant que mes mains soient toujours percées et que je ne parvienne jamais à économiser soit brisée et annulée, au nom de Jésus-Christ!

12. Je prophétise que tout pouvoir des ténèbres qui pleure contre moi dans le royaume des ténèbres pour invoquer la mort sur ma vie et mes projets recueille l'œuvre de ses mains, au nom de Jésus-Christ!

13. Épée de l'Éternel, poursuis et châtie toute force qui se plaint de la grâce de Dieu sur ma vie depuis le royaume des ténèbres, et qui cherche à me tuer, au nom de Jésus-Christ!

14. Je prophétise que tout complot formé contre moi dans les profondeurs de la terre et des eaux soit détruit par la main de Dieu, au nom de Jésus-Christ!

15. Je prophétise que le Saint-Esprit crée une grande circonstance pour me présenter au monde entier, afin que les trésors des nations et des royaumes me soient accordés, au nom de Jésus-Christ!

16. Je prophétise que l'Esprit du Seigneur crée une grande circonstance pour faire parler positivement de moi partout dans le monde entier, au nom de Jésus-Christ !

17. Merci, Seigneur éternel, de m'avoir fait entrer dans une nouvelle dimension de succès et de percée divine, au nom de Jésus-Christ !

18. Je prophétise que je suis entièrement restauré et rétabli sur mon trône de gloire, au nom de Jésus-Christ !

19. Je prophétise que tout ce qui était mort dans ma vie est définitivement restauré et activé par la puissance du Saint-Esprit, au nom de Jésus-Christ !

20. Je prophétise que tout ce qui était bloqué dans ma vie par les malédictions et les prédictions envoyées contre moi est débloqué et se manifeste immédiatement, au nom de Jésus-Christ !

21. Je prophétise que de nouvelles portes me sont ouvertes et que personne ne pourra les refermer, au nom de Jésus-Christ !

22. Je prophétise que je suis une personne restaurée pour régner et rétablie pour impacter le monde entier, au nom de Jésus-Christ !

23. Je prophétise que je recevrai la faveur partout où j'irai, et que la grâce de Dieu m'accompagnera chaque instant de ma vie, au nom de Jésus-Christ !

24. J'ai en main les clés de la maison de David et je prophétise que toutes les grandes portes que j'ai ouvertes durant cette session de prières ne pourront être refermées par la sorcellerie, au nom de Jésus-Christ ! —

25. Je prophétise que tout ce que le Saint-Esprit a établi dans ma vie ne puisse pas être révoqué, au nom de Jésus-Christ !

26. Je prophétise que toute force qui ouvrira la bouche contre moi pour inverser mes prières, ou faire obstacle à leurs réponses, soit abattu par le canon de Dieu et meure, au nom de Jésus-Christ!

27. Je prophétise que tout accusateur qui se tiendra entre l'ange envoyé par le ciel pour me bénir et moi, dans le but de m'accuser, soit immédiatement fauché par la foudre, et meurs immédiatement, au nom de Jésus-Christ. Amen!

PRIÈRES PROPHÉTIQUES POUR PROTÉGER LA FAMILLE CONTRE LES TRAGÉDIES

Confessions bibliques

1. *Seigneur Dieu tout-puissant, souviens-toi qu'il est écrit, en* **Psaume 91 V10.16**: *«Aucun malheur ne t'arrivera, aucun fléau n'approchera de ta tente.» V11 «Car il ordonnera à ses anges de te garder dans toutes tes voies;» V12 «Ils te porteront sur les mains, de peur que ton pied ne heurte contre une pierre.» V13 «Tu marcheras sur le lion et sur l'aspic, tu fouleras le lionceau et le dragon.» V14 «Puisqu'il m'aime, Je le délivrerai; Je le protégerai, puisqu'il connaît mon nom.» V15 «Il m'invoquera, et je lui répondrai; Je serai avec lui dans la détresse, je le délivrerai et je le glorifierai.» V16 «Je le rassasierai de longs jours, et Je lui ferai voir mon salut.»*

2. **Job 5 V19** *«Six fois il te délivrera de l'angoisse, et sept fois le mal ne t'atteindra pas.»*

3. **Proverbes 12 V21** *«Aucun malheur n'arrive au juste, mais les méchants sont accablés de maux.»*

4. ***Deutéronome 7 V15*** *«L'Éternel éloignera de toi toute maladie; il ne t'enverra aucune de ces mauvaises maladies d'Égypte qui te sont connues, mais il en frappera tous ceux qui te haïssent.»*

5. ***Ésaïe 49 V25.26*** *«Oui, dit l'Éternel, la capture du puissant lui sera enlevée, et le butin du tyran lui échappera; Je combattrai tes ennemis, et je sauverai tes fils.» V26 «Je ferai manger à tes oppresseurs leur propre chair; ils s'enivreront de leur sang comme du moût; et toute chair saura que je suis l'Éternel, ton sauveur, ton rédempteur, le puissant de Jacob.»*

6. ***Job 5 V12.15*** *«Il anéantit les projets des hommes rusés, et leurs mains ne peuvent les accomplir;» V13 «Il prend les sages dans leur propre ruse, et les desseins des hommes artificieux sont renversés:» V14 «Ils rencontrent les ténèbres au milieu du jour, ils tâtonnent en plein midi comme dans la nuit.» V15 «Ainsi Dieu protège le faible contre leurs menaces, et le sauve de la main des puissants.»*

7. ***Ésaïe 35 V4*** *«Dites à ceux qui ont le cœur troublé: Prenez courage, ne craignez point; voici votre Dieu, la vengeance viendra, la rétribution de Dieu; Il viendra lui-même, et vous sauvera.»*

Prières prophétiques

1. Je prophétise que mes enfants ne seront possédés d'aucun esprit maléfique qui pousse les adolescents à devenir des criminels qui assassinent leurs semblables, au nom de Jésus-Christ!

2. Je prophétise qu'aucun membre de ma famille ne sera inscrit parmi les victimes d'une tragédie nationale, au nom de Jésus-Christ!

3. Je prophétise que ma famille et moi sommes sous la protection et la grâce du Dieu d'Abraham, d'Isaac et d'Israël, au nom de Jésus-Christ!

4. Je prophétise qu'il n'y aura ni prostitué ni malade mental parmi mes enfants et les membres de ma famille, au nom de Jésus-Christ!

5. Je prophétise que mes enfants n'auront jamais de mauvaises fréquentations, et s'éloigneront toujours des personnes qui tenteront de les inciter à vivre dans la débauche et le mensonge, au nom de Jésus-Christ!

6. Je prophétise que mes enfants ne seront impliqués dans aucun trafic de stupéfiants et ne feront jamais la honte de ma famille, au nom de Jésus-Christ!

7. Il est écrit, en **Ésaïe 49 V25** : *«Oui, dit l'Éternel, la capture du puissant lui sera enlevée, et le butin du tyran lui échappera; Je combattrai tes ennemis, et je sauverai tes fils.»*

8. *Seigneur Dieu tout-puissant, souviens-toi d'avoir déclaré en* **Psaume 34 V6.8** *: «Quand un malheureux crie, l'Éternel entend, et il le sauve de toutes ses détresses.» V7 «L'ange de l'Éternel campe autour de ceux qui le craignent, et il les arrache au danger.» V8 «Sentez et voyez combien l'Éternel est bon! Heureux l'homme qui cherche en lui son refuge!»*

9. Comme l'Éternel, notre Dieu nous l'a promis : je déclare qu'aucun malheur ne nous arrivera et qu'aucun fléau ne s'approchera de notre tente, car ses anges campent autour de nous pour nous protéger, au nom du Seigneur Jésus-Christ!

10. Je déclare que la main de l'Éternel détruit tout ennemi qui cherche à nous inscrire parmi les victimes d'une catastrophe naturelle, au nom de Jésus-Christ!

11. Je prophétise que du début jusqu'à la fin de cette année, je trouverai faveur et grâce aux yeux de tous ceux qui entreront en contact avec moi, au nom de Jésus-Christ!

12. Je prophétise que de grandes portes d'opportunités me soient ouvertes et que j'atteindrai mon but sans effort, au nom de Jésus-Christ!

13. Je prophétise que toute dépendance des membres de ma famille à la drogue, soit brisée et détruite, au nom de Jésus-Christ!

14. Je prophétise que personne dans ma maison, en m'incluant, ne deviendra la cible d'un obsédé sexuel ou d'un malade mental assoiffé de sang humain, au nom de Jésus-Christ!

15. Saint-Esprit, protège mes enfants de tout prédateur sexuel et de tout kidnappeur qui se mettra à l'affût pour les attendre sur leur chemin et fais échouer son plan, au nom de Jésus-Christ!

16. Il est écrit, en *Jérémie 50 V32.34: L'orgueilleuse chancellera et tombera, et personne ne la relèvera; Je mettrai le feu à ses villes, et il en dévorera tous les alentours.» V33 «Ainsi parle l'Éternel des armées: Les enfants d'Israël et les enfants de Juda sont ensemble opprimés; tous ceux qui les ont emmenés captifs les retiennent, et refusent de les relâcher.» V34 «Mais leur vengeur est puissant, lui dont l'Éternel des armées est le nom; Il défendra leur cause, Afin de donner le repos au pays, Et de faire trembler les habitants de Babylone.»*

17. Je prophétise que les membres de ma famille et moi ne nous retrouverons jamais sur le chemin d'un criminel cherchant des personnes à tuer, pour satisfaire son fantasme, au nom de Jésus-Christ!

18. Par la puissance du Saint-Esprit, je déclare que Dieu est notre guide et nous conduira toujours aux bons moments et aux bons endroits pour vivre des événements heureux plutôt que des malheurs, au nom de Jésus-Christ!

19. Je prophétise qu'aucun crime ou malheur n'aura lieu dans ma maison, au nom de Jésus-Christ!

20. Je prophétise que notre véhicule familial ne deviendra jamais le cercueil qui engloutira nos vies, comme le prédisent ceux qui rêvent de mettre fin à nos destinées, au nom de Jésus-Christ !

21. Je déclare que nous n'aurons pas parmi nos amis, de mauvaises personnes qui risquent de nous créer des problèmes, au nom de Jésus-Christ !

22. Je prophétise que mes enfants seront intelligents, et s'éloigneront toujours des mauvaises personnes qui essayeront de les corrompre, au nom puissant de Jésus-Christ !

23. Je prophétise que les membres de ma famille et moi serons toujours des gens responsables et soucieux d'être de bons exemples pour notre entourage, au nom de Jésus-Christ !

24. Il est écrit, en **Psaume 121 V7 :** *«L'Éternel te gardera de tout mal, Il gardera ton âme. »*

25. Je prophétise que nous ne serons victimes d'aucune maladie causée par des virus qui ravagent de nombreuses vies actuellement, au nom de Jésus-Christ !

26. Je prophétise que le Saint-Esprit nous conduira toujours aux bons endroits et aux bons moments pour saisir de grandes opportunités, au nom de Jésus-Christ !

27. Je prophétise que nous ne serons jamais inscrits parmi ceux à qui la vie a refusé toute chance d'avoir les moyens d'accomplir leur destinée, au nom de Jésus-Christ !

28. Je prophétise que personne, parmi mes enfants et moi, ne mourra sans avoir accompli le nombre de jours que Dieu a prévu pour nous, au nom de Jésus-Christ !

29. Je proclame que nous serons toujours en bonne santé, forts et positifs en toutes circonstances, au nom de Jésus-Christ !

30. Je prophétise que mes membres de ma famille et moi deviendrons des personnes favorisées et bénies en tous lieux et en tout temps, au nom de Jésus-Christ !

Recommandation : veuillez faire le point de prières numéro 31 pendant 10 minutes avant de poursuivre.

31. Je prophétise que quiconque croisera notre chemin, sera toujours disposé à nous aider, à nous favoriser et à faire tout ce qui est en son pouvoir pour nous accorder ce que nous désirons, au nom de Jésus-Christ!

32. Je prophétise que nous serons toujours parmi les gens à qui la vie offre tout pour vivre dans le bonheur et la joie, au nom de Jésus-Christ!

33. Je prophétise que mes membres de ma famille et moi compterons parmi les plus chanceux dans l'histoire de l'humanité, au nom de Jésus-Christ!

34. Je prophétise que nous vivrons heureux et que notre philosophie sera d'être toujours positifs en toutes circonstances, au nom de Jésus-Christ!

35. Je déclare que nous ne serons pas des gens négatifs qui fuient l'adversité et voient le danger là où les autres saisissent des opportunités, au nom de Jésus-Christ!

36. Comme David, je prophétise que nous relèverons tous les défis de la vie, et que nous avancerons là où d'autres se découragent, au nom de Jésus-Christ!

37. Je prophétise que notre but dans la vie sera d'être toujours parmi les grands et parmi ceux qui ont changé l'histoire de l'humanité, au nom de Jésus-Christ!

38. Je prophétise que l'Esprit de Dieu ne se retirera pas de nous et que nous serons toujours sous la protection de l'Éternel et de ses anges, jusqu'à notre vieillesse au nom de Jésus-Christ!

39. Il est écrit, en ***Ésaïe 46 V3.4 :*** *«Écoutez-moi, maison de Jacob, et vous tous, restes de la maison d'Israël, vous que j'ai pris à ma charge dès votre origine, que j'ai portée dès votre naissance!» V4 «Jusqu'à votre vieillesse je serai le même, jusqu'à votre vieillesse je vous soutiendrai; Je l'ai fait, et Je veux encore vous porter, vous soutenir et vous sauver.»*

40. Il est écrit, en **Psaume 68 V19.20 :** «*Béni soit le Seigneur chaque jour! Quand on nous accable, Dieu nous délivre.*» V20 «*Dieu est pour nous le Dieu des délivrances, Et l'Éternel, le Seigneur, peut nous garantir de la mort.*»

41. Je brise toute mort planifiée contre moi et les gens de ma maison par les agents des ténèbres vivant sur terre, ou par les puissances agissant dans le monde des ténèbres, au nom de Jésus-Christ!

42. Je brise et j'annule toute circonstance que les forces des ténèbres ont prévue pour ma mort, et j'annule la date de tout accident mortel qu'elles ont programmé contre mes enfants et moi, au nom de Jésus-Christ!

Recommandation : Confessez la promesse biblique ci-dessous et le point de prière numéro 44 à tour de rôle pendant 7 minutes avant de poursuivre.

43. Il est écrit en **Psaume 91 V5.7** «*Tu ne craindras ni les terreurs de la nuit, Ni la flèche qui vole de jour,*» V6 «*Ni la peste qui marche dans les ténèbres, Ni la contagion qui frappe en plein midi.*» V7 «*Que mille tombent à ton côté, Et dix mille à ta droite, Tu ne seras pas atteint.*»

44. Je prophétise sur la base de cette promesse divine que ma famille et moi sommes sous une protection divine maximale des anges et archanges de l'Éternel, au nom de Jésus-Christ!

45. *Il est écrit, en* **Nombres 23 V23 :** «*L'enchantement ne peut rien contre Jacob, Ni la divination contre Israël; Au temps marqué, il sera dit à Jacob et à Israël : Quelle est l'œuvre de Dieu.*»

46. Je prophétise que tout enchantement et toute balle spirituelle qui me sont envoyés depuis les ombres de l'enfer, sont brisés et ne m'atteindront jamais, au nom de Jésus-Christ!

47. Que toute chose qui a été injectée dans mon âme à l'aide d'un rituel ou d'une pratique occulte, soit détruite et évacuée hors de mon sang, au nom de Jésus-Christ!

48. Il est écrit en **Ésaïe 54 V17** : «*Toute arme forgée contre toi sera sans effet ; et toute langue qui s'élèvera en justice contre toi, tu la condamneras. Tel est l'héritage des serviteurs de l'Éternel, tel est le salut qui leur viendra de moi, dit l'Éternel.*»

49. Que toute aiguille et pointe qui me seront spirituellement lancées depuis les profondeurs de la terre et de l'océan ne m'atteignent pas et retournent contre leur expéditeur en plein cœur, au nom de Jésus-Christ! Amen.

PROTÉGER VOTRE CŒUR DES ATTAQUES PHYSIQUES ET SPIRITUELLES

Confessions bibliques

1. **Proverbes 4 V23.24** «*Garde ton cœur plus que toute autre chose, car de lui viennent les sources de la vie.*» V24 «*Écarte de ta bouche la fausseté, éloigne de tes lèvres les détours.*»

2. **Éphésiens 4 V26.27** «*Si vous vous mettez en colère, ne péchez point ; que le soleil ne se couche pas sur votre colère,*» V27 «*et ne donnez pas accès au diable.*»

Prière de protection

1. Que tout piège qui m'a été tendu par les forces du mal qui attendent que je fasse une erreur pour m'atteindre, soit brisé et échoue, au nom de Jésus-Christ!

2. Il est écrit en **Job 5 V11.13** : «*Il relève les humbles, et délivre les affligés ;*» V12 «*Il anéantit les projets des hommes rusés, et leurs mains ne peuvent les accomplir ;*» V13 «*Il prend les sages dans leur propre ruse, et les desseins des hommes artificieux sont renversés.*»

3. Saint-Esprit, retiens ma langue face aux offenses et empêche-moi de faire toute déclaration que les forces des ténèbres veulent me pousser à faire afin d'avoir une cause valable pour m'accuser devant Dieu, au nom de Jésus-Christ !

4. Que toute chose que les puissances des ténèbres ont programmée contre moi, et attendent que je fasse un faux pas pour mettre leur plan en exécution, soit brisée et échoue depuis sa source, au nom de Jésus-Christ !

Recommandation : Veuillez faire chacun des points de prière en italique pendant 5 minutes avant de poursuivre.

5. *Que toute chose que les puissances des ténèbres veulent me forcer à dire pour me condamner sur la base de mes propres paroles, raison pour laquelle elles poussent les gens autour de moi à m'offenser, ne sorte jamais de ma bouche, au nom de Jésus-Christ !*

6. *Saint-Esprit, neutralise et anéantis toute émotion sexuelle et colère que les puissances maléfiques activent en moi au seuil de mes percées, afin d'avoir un motif valable pour me freiner, au nom de Jésus-Christ !*

7. *Saint-Esprit, prend le contrôle de mon âme, de mon esprit et de ma conscience pour m'empêcher de poser tout acte qui risque de gâcher mes efforts après ma prière, au nom de Jésus-Christ !*

8. *Saint-Esprit, donne-moi ta puissance pour retenir ma langue afin d'éviter de faire des déclarations qui risqueraient de servir aux forces du mal, pour annuler la réponse à mes prières, au nom de Jésus-Christ !*

9. *Seigneur, empêche-moi de donner à l'ennemi l'occasion qu'il attend de moi pour m'atteindre, au nom de Jésus-Christ !*

10. *Que toute-puissance des ténèbres qui pousse les gens à ne faire que ce que je n'aime pas pour me mettre en colère, échoue au nom de Jésus-Christ !*

11. *Seigneur, empêche-moi de répondre aux paroles blessantes de toute personne dont les forces du mal utilisent les déclarations et l'attitude pour m'offenser, au nom de Jésus-Christ!*

12. *Saint-Esprit, donne-moi la force de garder ma bouche fermée devant tout acte que mes ennemis poussent mes proches à poser, dans l'intention d'atteindre mon cœur, au nom de Jésus-Christ!*

13. *Je prophétise que je reçois la puissance pour rester calme et serein face à toute personne dont les forces des ténèbres veulent utiliser les paroles pour me blesser et me déstabiliser, au nom de Jésus-Christ!*

14. *Que toutes les choses qui me mettent mal à l'aise, que, j'ai longtemps conseillé aux gens avec qui je marche ou je vis de cesser de faire, et que les puissances des ténèbres les incitent à continuer, pour me briser le cœur afin de m'atteindre, ne m'affectent plus jamais, au nom de Jésus-Christ!*

15. *Je prophétise que les anges de l'Éternel veillent sur nous nuit et jour afin qu'aucun malheur ne nous approche et qu'aucun fléau ne nous frappe, au nom du Seigneur Jésus-Christ!*

16. **Fin de la section des prières en italique qu'il vous était recommandé d'exécuter pendant 5 minutes. Veuillez faire chacune des prières suivantes avec autorité et insistance.**

17. Que toute contagion ou arme biologique sous forme de sortilège; envoyé contre moi, soit brisée et annulée au nom de Jésus-Christ!

18. Je brise tout envoûtement qui a été envoyé contre nous depuis le royaume des ténèbres, au nom de Jésus-Christ!

19. Que toute balle spirituelle tirée contre moi depuis le monde des ténèbres, soit retournée contre l'envoyeur, au nom de Jésus-Christ!

20. Je prophétise que mes enfants et moi serons toujours bénis et prospérerons à tous les égards, au nom puissant du Seigneur Jésus-Christ!

21. Je prophétise que la puissance du Saint-Esprit nous couvre et nous guide toujours aux bons endroits et loin des pièges de l'ennemi, au nom de Jésus-Christ!

22. Je prophétise que le pouvoir de tout balai de destruction que les forces de la sorcellerie utiliseront contre ma famille et moi, retourne détruire la vie de celui qui l'a envoyé, au nom de Jésus-Christ!

23. Je prophétise que nous serons toujours loin des tremblements de terre et des tragédies, avant qu'ils se manifestent, au nom de Jésus-Christ!

24. Je prophétise que l'Esprit de Dieu nous avertira par des songes et nous poussera à quitter tout lieu où il y aura une tragédie ou un malheur, avant leur manifestation, au nom de Jésus-Christ!

25. Je prophétise que des personnes riches et généreuses se porteront toujours volontaires pour nous aider et nous couvrir de présents par la grâce de Dieu, au nom de Jésus-Christ!

Recommandation : Répétez les trois points de prières suivantes pendant 7 minutes avant de poursuivre.

26. Il est écrit, **en *Psaumes 103 V20 :*** *«Bénissez l'Éternel, vous ses anges, qui êtes puissants en force, et qui exécutes ses ordres, en obéissant à la voix de sa parole!»*

27. J'appelle tous les anges guerriers du ciel et leur demande de battre toutes les forces qui s'opposent à mon destin, jusqu'à leur destruction, au nom de Jésus-Christ!

28. J'appelle tous les anges qui ont combattu aux côtés de Michael pour expulser Satan du ciel et leur demande de combattre toutes les forces qui troublent mon âme chaque nuit, jusqu'à leur destruction totale, au nom de Jésus-Christ!

29. Il est écrit en **Psaume 2 V8** : «*Demande-moi et je te donnerai les nations pour héritage, les extrémités de la terre pour possession.*»

30. Seigneur Dieu! établis-moi dans ce pays et accorde-moi la faveur et la grâce pour régner et prospérer à tous égards, au nom du Seigneur Jésus-Christ!

31. Je prophétise que je recevrai tout ce dont j'ai besoin pour prospérer et faire une grande percée dans ce pays, au nom de Jésus-Christ!

32. Il est écrit en **Exode 32 V13** : «*Souviens-toi d'Abraham, d'Isaac et d'Israël, tes serviteurs, auxquels tu as dit, en jurant par toi-même : Je multiplierai votre postérité comme les étoiles du ciel, Je donnerai à vos descendants tout ce pays dont J'ai parlé, et ils le posséderont à jamais.*»

33. Seigneur, ta parole déclare en **Jérémie 29 V11.14 :** «*Car, je connais les projets que j'ai formés sur vous, dit l'Éternel, projets de paix et non de malheur, afin de vous donner un avenir et de l'espérance. V12 Vous m'invoquerez, et vous partirez ; vous me prierez, et je vous exaucerai.*» V13 «*Vous me chercherez, et vous me trouverez, si vous me cherchez de tout votre cœur.*» V14 «*Je me laisserai trouver par vous, dit l'Éternel.*»

34. Je prophétise que le diable et ses agents ne parviendront jamais à écrire les pages de notre histoire, au nom puissant du Seigneur Jésus-Christ!

35. Il est écrit en **Deutéronome 11 V24** : «*Tout lieu que foulera la plante de votre pied sera à vous.*»

36. Je prophétise que nous prospérerons partout où nous foulerons les pieds, au nom puissant du Seigneur Jésus-Christ!

37. Je prophétise que, où que nous allions, les portes nous soient toujours ouvertes avant notre arrivée, et que les gens soient toujours disposés à nous aider, au nom de Jésus-Christ!

38. Il est écrit en ***Matthieu 7 V7 :*** *«Demandez, et vous recevrez ; cherchez, et vous trouverez ; frappez, et l'on vous ouvrira.»* V8 *«Car celui qui demande reçoit ; celui qui cherche trouve, et l'on ouvre à celui qui frappe.»*

39. Il est écrit en ***Matthieu 4 V4*** : *«L'homme ne vivra pas de pain seulement, mais de toute parole qui sort de la bouche de Dieu.»*

Recommandation : Veuillez faire chaque point de prière de cette section pendant 3 minutes, et ne changez de stratégies qu'à la prochaine directive.

40. J'ordonne la matérialisation physique de toutes les bonnes paroles qui sont sorties de ma bouche et de toute prière que j'ai faite, au nom de Jésus-Christ !

41. Il est écrit en ***Josué 10 V12.13*** : *«Alors Josué parla à l'Éternel, le jour où l'Éternel livra les Amoréens aux enfants d'Israël, et il dit en présence d'Israël : Soleil, arrête-toi sur Gabaon, et toi, lune, sur la vallée d'Ajalon !»* V13 *«Et le soleil s'arrêta, et la lune suspendit sa course, jusqu'à ce que la nation eût tiré vengeance de ses ennemis. Cela n'est-il pas écrit dans le livre du Juste ? Le soleil s'arrêta au milieu du ciel, et ne se hâta point de se coucher, presque tout un jour.»*

42. Toute comme Josué l'a fait, j'ordonne au soleil et à la lune d'exécuter toutes mes paroles, et de ne point s'opposer à leurs concrétisations, au nom de Jésus-Christ !

43. J'ordonne aux éléments de ne point faire obstacle à la réalisation de mes prières et du plan de Dieu prévu pour moi, au nom de Jésus-Christ !

44. Il est écrit en ***Marc 4 V39 :*** *«S'étant réveillé, il [Jésus-Christ] menaça le vent, et dit à la mer : Silence ! tais-toi ! Et le vent cessa, et il y eut un grand calme.»*

45. Tout comme le Seigneur l'a fait, j'ordonne à tout vent de malheur déclenché contre moi par les puissances maléfiques depuis le monde des ténèbres, de cesser au nom de Jésus-Christ !

46. J'ordonne à tout vent de confusion qui souffle contre ma famille et moi de se dissiper, au nom de Jésus-Christ !

47. Que toute bonne chose qui m'était destinée, mais qui a été combattue et repoussée par les forces des ténèbres me soit ramenée au nom de Jésus-Christ !

Recommandation : Faites les deux points de prières suivants pendant 5 minutes avant de poursuivre.

48. Que tout bienfaiteur qui a été repoussé par les pratiques faites contre moi depuis les camps de mes ennemis, reçoit la puissance du Saint-Esprit et revienne m'aider, au nom de Jésus-Christ !

49. J'ordonne à toute personne qui a été envoyée pour m'aider, et qui a été spirituellement chassée par les forces des ténèbres revienne exécuter la volonté de Dieu dans ma vie, au nom de Jésus-Christ !

50. Il est écrit en *Job 38 V12.13 : «Depuis que tu existes, as-tu commandé au matin ? As-tu montré sa place à l'aurore, » V13 «pour qu'elle saisisse les extrémités de la terre, et que les méchants en soient secoués ?»*

51. J'ordonne à l'aurore de saisir les extrémités de la terre et de secouer mes ennemis jusqu'à la destruction de leur royaume et de leurs œuvres, au nom de Jésus-Christ.

52. Il est écrit, en **Nombres 16 V28.32 :** *«Moïse dit : À ceci vous connaîtrez que l'Éternel m'a envoyé pour faire toutes ces choses, et que je n'agis pas de moi-même. » V29 «Si ces gens meurent comme tous les hommes meurent, s'ils subissent le sort commun à tous les hommes, ce n'est pas l'Éternel qui m'a envoyé ; » V30 «mais si l'Éternel fait une chose inouïe, si la terre ouvre sa bouche pour les engloutir avec tout ce*

qui leur appartient, et qu'ils descendent vivants dans le séjour des morts, vous saurez alors que ces gens ont méprisé l'Éternel. » V31 «Comme il achevait de prononcer toutes ces paroles, la terre qui était sous eux se fendit. » V32 «La terre ouvrit sa bouche, et les engloutit, eux et leurs maisons, avec tous les gens de Koré et tous leurs biens. »

53. J'ordonne à la terre de combattre mes ennemis avec acharnement, jusqu'à les engloutir eux et leurs complices, au nom de Jésus-Christ!

54. Il est écrit en **Juges 5 V20 :** *«Des cieux on combattit, De leurs sentiers les étoiles combattirent contre Sisera. »*

55. J'ordonne aux étoiles d'affronter toutes les forces qui s'envolent contre moi chaque nuit entre minuit et 5h du matin pour intercepter mes bénédictions, au nom de Jésus-Christ!

56. Merci, Seigneur éternel, pour cette grande délivrance que tu nous a accorder. Que la gloire et l'honneur te reviennent au siècle des siècles, au nom de Jésus-Christ! Amen!

PROPHÉTISER UN NOUVEAU DÉPART

Confessions bibliques

1. **Joël 2 V25.26** *«Je vous remplacerai les années qu'ont dévorées la sauterelle, le jélek, le hasil et le gazam, ma grande armée que j'avais envoyée contre vous. » V26 «Vous mangerez et vous vous rassasierez, et vous célébrerez le nom de l'Éternel, votre Dieu, qui aura fait pour vous des prodiges; et mon peuple ne sera plus jamais dans la confusion. »*

2. **Aggée 2 V8.9** *«L'argent est à moi, et l'or est à moi, dit l'Éternel des armées. » V9 «La gloire de cette dernière maison sera plus grande que celle de la première, dit l'Éternel des armées; et c'est dans ce lieu que je donnerai la paix, dit l'Éternel des armées. »*

3. **Ésaïe 35 V7** «*Le mirage se changera en étang et la terre desséchée en sources d'eaux; dans le repaire qui servait de gîte aux chacals, croîtront des roseaux et des joncs.*»

4. **Ésaïe 41 V18** «*Je ferai jaillir des fleuves sur les collines, et des sources au milieu des vallées; Je changerai le désert en étang, et la terre aride en courants d'eau.*»

5. **Ésaïe 41 V17** «*Les malheureux et les indigents cherchent de l'eau, et il n'y en a point; leur langue est desséchée par la soif. Moi, l'Éternel, Je les exaucerai; moi, le Dieu d'Israël, Je ne les abandonnerai pas.*»

Prières prophétiques

1. Je proclame qu'un beau jour vient de naître dans ma vie; je déclare que le Saint-Esprit m'ouvre de nouvelles portes d'opportunités financières, au nom de Jésus-Christ!

2. Je savais que mon Dieu ne m'avait pas oublié : il combat en ma faveur et brise toute chose programmée contre moi par mes ennemis, au nom puissant du Seigneur Jésus-Christ!

3. Je prophétise que tout mal programmé contre moi pour se manifester dans les jours à venir, et qui n'attend que le temps et les circonstances qui lui ont été fixés pour m'affecter, soit brisé et révoqué, au nom de Jésus-Christ!

4. Je prophétise que le Saint-Esprit me connecte à de nouvelles opportunités, et m'ouvre de nouvelles sources de revenus, au nom de Jésus-Christ!

5. J'ordonne aux quatre vents de Dieu de déclencher une grande pluie de bénédictions, de faveurs et d'opportunités financières pour m'enrichir, au nom de Jésus-Christ!

6. Je prophétise que ce nouveau jour est pour moi un jour de restauration, et que cette année est pour moi une année de prospérité sur le plan mondial, au nom de Jésus-Christ!

7. Il est écrit en *3 Jean 1 V2 :* «*Bien-aimé, je souhaite que tu prospères à tous les égards et que tu sois en bonne santé, comme prospère l'état de ton âme.*»

8. Je prophétise que dès aujourd'hui, je prospérerai à tous les égards, et que je serai en bonne santé comme prospère l'état de mon âme, et ce, tous les jours de ma vie, au nom de Jésus-Christ!

9. Je proclame que tout ce que je toucherai et que j'entreprendrai sur cette terre de vivants réussira et m'apportera la richesse, au nom de Jésus-Christ!

10. Je prophétise que, partout où mes ennemis avaient déclaré que j'allais échouer et être rejeté cette année, je réussirai en ces lieux ; et rien ne me sera refusé, au nom de Jésus-Christ!

11. *Jérémie 1 V8.10* déclare : «*Ne les crains point, car je suis avec toi pour te délivrer, dit l'Éternel.*» V9 «*Puis l'Éternel étendit sa main, et toucha ma bouche ; et l'Éternel me dit : Voici, je mets mes paroles dans ta bouche.*» V10 «*Regarde, je t'établis aujourd'hui sur les nations et sur les royaumes, pour que tu arraches et que tu abattes, pour que tu ruines et que tu détruises, pour que tu bâtisses et que tu plantes.*»

12. Par la puissance que Dieu a mise dans ma bouche en m'établissant sur les Royaumes et les Nations pour détruire, pour arracher, pour abattre, pour planter et établir, je prends autorité sur les œuvres de mes ennemis, et je les détruis au nom puissant du Seigneur Jésus-Christ!

13. Je prophétise que le succès, la faveur et la grâce ne seront pas des choses rares dans ma vie, comme le souhaitent mes ennemis, au nom du Seigneur Jésus-Christ!

14. Je prophétise que je réussirai dans tous les domaines de ma vie, et que tout ce que je demanderai trouvera faveur et grâce aux yeux de mes collaborateurs, au nom de Jésus-Christ!

15. Aujourd'hui, je décrète ma percée internationale et proclame que toutes mes affaires auront du succès à l'échelle mondiale, au nom de Jésus-Christ!

16. Je prophétise que mon nom sera écrit parmi ceux qui ont positivement changé l'histoire de ce monde à cause des grandes choses que je réaliserai dans les temps à venir, au nom de Jésus-Christ!

17. Il est écrit en **Zacharie 4 V6** : *«Alors il reprit et me dit : c'est ici la parole que l'Éternel adresse à Zorobabel : ce n'est ni par la puissance ni par la force, mais c'est par mon esprit, dit l'Éternel des armées. »*

18. Par la puissance du Saint-Esprit, je prophétise que tout ordre que mes ennemis avaient donné aux éléments et les temps pour leur demander de ne point collaborer avec tout ce que je demanderais, soit brisé et annulé, au nom de Jésus-Christ!

19. Je brise et je révoque tout vœu et toute paroles par lesquels les forces des ténèbres ont interdit à la terre, au soleil, au vent et au temps de collaborer avec ma destinée, au nom de Jésus-Christ!

Recommandation : Faites la prière numéro 20 à 7 reprises avant de continuer.

20. Je prophétise que toute personne de qui je dois recevoir de l'aide, ou qui doit être pour moi une connexion pour avoir accès aux grandes personnalités, ne me manquera pas à la date de notre rencontre divinement prévue par le ciel, au nom de Jésus-Christ!

21. Il est écrit en **Jean 3 V26.27** : *«Ils vinrent trouver Jean, et lui dirent : Rabbi, celui qui était avec toi au-delà du Jourdain, et à qui tu as rendu témoignage, voici, il baptise, et tous vont à lui. » V27 «Jean répondit : Un homme ne peut recevoir que ce qui lui a été donné du ciel. »*

22. *Seigneur Éternel, souviens-toi qu'il est écrit en* **Jacques 1 V17** *que «Toute grâce excellente et tout don parfait descendent d'en haut, du Père des lumières, chez lequel il n'y a ni changement ni ombre de variation.»* Et fais-moi voir ta grâce en inclinant tous les cœurs en ma faveur où que j'aille, au nom de Jésus-Christ!

23. Il est écrit en **Ésaïe 49 V25.26 :** *«Oui, dit l'Éternel, la capture du puissant lui sera enlevée, et le butin du tyran lui échappera ; Je combattrai tes ennemis, et je sauverai tes fils. V26 Je ferai manger à tes oppresseurs leur propre chair; ils s'enivreront de leur sang comme du moût; et toute chair saura que je suis l'Éternel, ton sauveur, ton rédempteur, le puissant de Jacob.»*

24. J'ordonne que toute personne par qui je dois saisir des opportunités et qui est spirituellement retenue loin de moi par les puissances maléfiques, soit libérée et vienne m'aider, au nom de Jésus-Christ!

25. Je prophétise que cette semaine sera pour ma maison et moi une semaine de faveur et de grâce, au nom de Jésus-Christ!

26. Je prophétise que tous les cœurs seront inclinés en notre faveur, et que de grands cadeaux nous seront offerts chaque jour de ma vie, au nom puissant de Jésus-Christ!

27. Il est écrit en **Proverbes 21 V1.2 :** *«Le cœur du roi est un courant d'eau dans la main de l'Éternel; Il l'incline partout où il veut.» V2 «Toutes les voies de l'homme sont droites à ses yeux; mais celui qui pèse les cœurs, c'est l'Éternel.»*

28. Je prophétise que je recevrai tout ce dont j'aurai besoin, pour réaliser mes projets à venir avant même de demander, au nom de Jésus-Christ!

29. Je prophétise que je trouverai ce que je désire avant de chercher, et que l'on m'ouvrira toujours les portes de faveurs, avant que je frappe au nom de Jésus-Christ!

30. Je prophétise que le Saint-Esprit incline tous les cœurs en ma faveur, et envoie des personnes de bonne volonté pour m'aider à réaliser mes désirs les plus audacieux, au nom de Jésus-Christ!

31. Je prophétise que tout ce que j'avais demandé dans le passé jusqu'à présent me sera accordé avant la date et l'heure qui m'ont été fixées, au nom de Jésus-Christ!

32. Je prophétise que tout mauvais souhait de fin d'année prononcé contre moi et ma famille par mes ennemis, et qui paralyse nos opportunités, soit brisé et n'ait plus d'effet sur nos vies au nom de Jésus-Christ!

33. Je prophétise que toute malédiction et tout serment envoyés contre moi et mes descendants par des personnes disant que tout ce que nous allons toucher, manger et boire dans ce pays sera une malédiction, sont brisés et annulés au nom de Jésus-Christ!

34. Je prophétise que cette année, tout ce que ma famille et moi allons toucher, manger et boire, deviendra une source d'énergie positive et nous donnera des bénédictions, au nom de Jésus-Christ!

35. Je prophétise que quoi que je fasse cette année, où que j'aille, quoi que je dise, et quoi que je demanderai, me sera accordé, au nom puissant de Jésus-Christ!

36. Je prophétise que mes sources de bénédictions financières ne tariront jamais, et se multiplieront au nom de Jésus-Christ!

37. Je prophétise que je profiterai de toutes les opportunités que Dieu m'offre, jusqu'à atteindre l'abondance et la plénitude dans mes affaires, au nom de Jésus-Christ!

38. Je prophétise que ma renommée s'étendra à l'échelle mondiale, et que je réussirai tous mes projets ici-bas, au nom de Jésus-Christ!

39. Je décrète l'ouverture de toutes mes sources de revenus fermées par les esprits et forces dans les lieux célestes, au nom de Jésus-Christ!

40. Je prophétise que toutes mes portes de percées, qui avaient été fermées ou bloquées par les malédictions et les envoûtements lancés contre moi depuis l'au-delà, s'ouvrent par la puissance du Saint-Esprit, au nom de Jésus-Christ!

41. J'ordonne que toute chose dans le monde astral qui combat, bloque, et retarde ma destinée entière, se désintègre et s'autodétruise, au nom de Jésus-Christ!

42. Je prophétise que tous mes projets, que les forces des ténèbres sont en train de combattre, ne seront pas interrompus et bloqués, au nom de Jésus-Christ!

43. Je prophétise que toutes les choses que mon Créateur a inscrites dans mon livre de destinée se réaliseront à la date prévue, au nom de Jésus-Christ!

44. Je prophétise que toute bonne décision que j'avais prise pour changer ma vie afin d'écrire une nouvelle histoire, et qui dérange mes ennemis qui sont en train de s'obstiner à m'empêcher de la réaliser, n'échouera pas, au nom de Jésus-Christ!

45. Je prophétise que toutes les bonnes choses de ma vie auxquelles les forces de ma fondation, ou les puissances dans lieux célestes avaient ordonnées de cesser de progresser, reçoivent la puissance du Saint-Esprit et progressent, au nom de Jésus-Christ!

46. Saint Esprit, couvre-moi de ta puissance, et fais en sorte que toute langue maléfique, sur terre comme dans les lieux célestes, qui essayera de révoquer mes prières soit coupée par ton épée, au nom de Jésus-Christ!

47. Il est écrit : *«Toute arme forgée contre toi sera sans effet; et toute langue qui s'élèvera en justice contre toi, tu la condamneras. Tel est l'héritage des serviteurs de l'Éternel, tel est le salut qui leur viendra de moi, dit l'Éternel.»* **Ésaïe 54 V17**

48. *Il est écrit en* **Ésaïe 50 V9 :** *«Voici, le Seigneur, l'Éternel, me secourra : qui me condamnera? Voici, ils tomberont tous en lambeaux comme un vêtement, la teigne les dévorera.»*

49. Je proclame que toute force qui a pour mission de détruire mes prières afin de faire obstacle à leurs réponses, ne parviendra jamais à se souvenir de mes déclarations, afin de les inverser, au nom de Jésus-Christ!

50. Je prophétise que toutes flèches ou balles maléfiques qui me seront lancées après cette prière par des agents des ténèbres en colère, se retourneront contre leur propre cœur, au nom puissant du Seigneur Jésus-Christ!

51. Je couvre ma famille et moi du sang de Jésus, et prophétise que chaque jour de notre vie soit couronné de succès, et de faveur au nom de Jésus-Christ!

52. Merci, Seigneur, pour ta fidélité et ta grâce sur ma vie. Je bénis ton nom d'avoir exaucé ma prière et ouvert de nouvelles portes pour faire entrer de nouvelles choses dans ma vie; merci pour cette nouvelle pluie de faveurs et de grâce que tu déverses sur moi à chaque instant de ma vie, au nom de Jésus-Christ!

53. Je te rend gloire Seigneur, pour tous tes bienfaits dans ma vie. Que l'honneur et l'adoration te reviennent à jamais, au nom de Jésus-Christ de Nazareth. Amen!

~~❧ ❧~~

PROPHÉTISER POUR DÉTRUIRE L'EFFET DES JUGEMENTS ERRONÉS

Confessions bibliques

1. **Proverbes 3 V28.30** *«Ne dis pas à ton prochain : Va et reviens, demain je donnerai! Quand tu as de quoi donner.» V29 «ne médite pas le mal contre ton prochain, lorsqu'il demeure tranquillement près de toi.» V30 «ne conteste pas sans motif avec quelqu'un, lorsqu'il ne t'a point fait de mal.»*

2. **Zacharie 8 V17** *«Que nul en son cœur ne pense le mal contre son prochain, et n'aimez pas le faux serment, car ce sont là toutes choses que je hais, dit l'Éternel.»*

3. **Proverbes 28 V13.14** *«Celui qui cache ses transgressions ne prospère point, mais celui qui les avoue et les délaisse obtient miséricorde.» V14 «Heureux l'homme qui est continuellement dans la crainte! Mais celui qui endurcit son cœur tombe dans le malheur.»*

Prières prophétiques

1. Seigneur, pardonne-moi d'avoir jugé et condamné une personne qui ne m'avait rien fait de mal, au nom puissant de Jésus-Christ!

2. Seigneur, pardonne-moi d'avoir pris part à des conversations entamées par des groupes d'amis pour dénigrer, juger et condamner une personne sans connaître le fond de l'histoire, au nom de Jésus-Christ!

3. Seigneur, pardonne-moi d'avoir donné un faux témoignage ou ajouté des mensonges pour embellir une histoire réelle, au nom puissant de Jésus-Christ!

4. Seigneur, pardonne-moi de m'être mêlé de ce qui ne me regardait pas. Si c'est à cause de ces choses que je m'attire le malheur et le blocage, lave-moi et délivre-moi des conséquences de mes transgressions, au nom puissant de Jésus-Christ!

5. Je prophétise que toute affliction que mon père et ma mère ont causée à une personne qui ne leur voulait pas de mal, et qui nous empêche de connaître le succès, nous soit pardonnée et ôtée de notre vie par le sang de l'agneau de Dieu, au nom de Jésus-Christ!

6. Je décrète la fin de tout fléau qui règne sur ma famille depuis des décennies, à cause des jugements et des condamnations cruelles que mes parents ont portés sur une personne qui ne leur avait rien fait ou dit de mal, au nom de Jésus-Christ!

7. Je me libère des effets de toute pensée et de tout jugement erronés que j'avais portés sur une personne, en la condamnant à tort, au nom de Jésus-Christ!

8. Je me repens de ma participation à toute conversation visant à critiquer ou à dénigrer une personne qui ne m'avait rien fait de mal, au nom de Jésus-Christ!

9. Dieu d'Abraham, d'Isaac et de Jacob, acquitte-moi d'avoir juré de ne jamais pardonner à une personne qui m'avait profondément blessé, au nom du Seigneur Jésus-Christ!

10. Seigneur, libère-moi de tout blocage qui est entré dans ma vie depuis que j'ai pris une mauvaise décision, et que j'ai refusé toute possibilité de réconciliation, malgré les supplications de mes semblables, au nom puissant de Jésus-Christ!

11. Tout comme il a fallu un jour pour que le Dieu d'Abraham, d'Isaac et de Jacob délivre son peuple de la main des Égyptiens, je prophétise que le Saint-Esprit me délivre aujourd'hui et me sort de toute prison spirituelle qui me tenait captif, au nom de Jésus-Christ!

12. Je prophétise que toutes les bonnes choses dans ma vie, que mes ennemis avaient paralysées et bloquées avec l'esprit de mort et des chaînes invisibles, soient libérées et prospèrent, au nom de Jésus-Christ!

13. Je proclame que le Seigneur me surprendra dans ce mois avec mon miracle et la réponse à toutes mes prières, au nom puissant du Seigneur Jésus-Christ!

14. Je prophétise que toute opportunité qui m'était destinée, et qui avait été détruite par mes ennemis soit restaurée, reprogrammée et réactivée dans ma vie, au nom de Jésus-Christ!

15. Je prophétise que le Saint-Esprit de Dieu me visite dans ce mois, et m'envoie des personnes généreuses pour me bénir financièrement et m'aider, dans tous les domaines de ma vie, au nom de Jésus-Christ!

16. Je prophétise que le Saint-Esprit m'ouvre de nouvelles portes d'opportunités dans ce pays, et multiplie sa grâce dans ma vie en inclinant tous les cœurs en ma faveur pour m'accorder tout ce que je désire, au nom de Jésus-Christ!

17. Je déclare aujourd'hui que mon Dieu essuie mes larmes, et me donne une nouvelle chance d'atteindre mon objectif afin de réaliser mes rêves les plus audacieux, au nom de Jésus-Christ!

Recommandation : Veuillez répéter le point de prière numéro 18 pendant 5 minutes avant de poursuivre. Cela vous permettra de vite activer la réponse à vos prières.

18. Par la puissance du Saint-Esprit, j'ordonne à toutes déclarations et prières que j'ai faites, et qui ne se sont pas encore manifestées, de recevoir la puissance, et de se manifester immédiatement, au nom de Jésus-Christ!

19. Il est écrit en **Psaume 103 V19.20 :** «*L'Éternel a établi son trône dans les cieux, et son règne domine sur toutes choses.*» V20 «*Bénissez l'Éternel, vous ses anges, qui êtes puissants en force, et qui exécutez ses ordres, en obéissant à la voix de sa parole!*»

20. Par cette vérité divine, je demande aux anges de l'éternel Dieu d'exécuter la voie de sa parole en faveur de mes enfants et moi alors que je prie sur la base de la parole de Dieu, en détruisant nos oppresseurs et leurs œuvres, au nom de Jésus-Christ!

21. Il est écrit en *Job 22 V28 : «À tes résolutions répondra le succès et sur tes sentiers brillera la lumière.»*

22. Je prophétise donc que toute décision que j'ai prise aboutira, et que le Saint-Esprit m'éclairera de sa lumière, pour me pousser à faire de bons choix afin d'éviter les pièges maléfiques, au nom de Jésus-Christ!

23. Je prophétise que toute voie que j'ai choisie me mènera vers l'accomplissement du but de mon existence, et que j'atteindrai mon objectif cette année, au nom du Seigneur Jésus-Christ!

24. *Habacuc 2 V2.3 «L'Éternel m'adressa la parole, et dit : Écris la prophétie : grave-la sur des tables afin qu'on la lise couramment.» V3 «Car, c'est une prophétie dont le temps est fixé, elle marche vers son terme, et elle ne mentira pas. Si elle tarde, attends-la, car elle s'accomplira certainement.»*

25. Sur la base de cette promesse divine, je déclare que toute prophétie que j'ai annoncée se réalisera au bon moment et dans la bonne circonstance, au nom de Jésus-Christ!

26. Seigneur, ta parole déclare en *Jérémie 1 V8.10 : «Ne crains rien, car Je suis avec toi pour te délivrer, dit l'Éternel. V9 Puis l'Éternel étendit sa main, et toucha ma bouche; et l'Éternel me dit : Voici, Je mets mes paroles dans ta bouche. V10 Regarde, Je t'établis aujourd'hui sur les nations et dans les royaumes, pour que tu arraches, et que tu abattes, pour que tu ruines et que tu détruises, pour que tu bâtisses et que tu plantes.»*

27. Par la puissance que Dieu a mise dans ma bouche, j'ordonne à toutes déclarations qui sortent de ma bouche de s'accomplir immédiatement, au nom de Jésus-Christ!

28. Je prophétise que toute mauvaise chose que les agents du royaume des ténèbres avaient programmée et décidée d'exécuter contre ma maison et moi, soit détruite et annulée par la droite de l'Éternel, le Dieu d'Israël, au nom de Jésus-Christ!

29. Il est écrit en **Job 5 V12** : «*Il anéantit les projets des hommes rusés, et leurs mains ne peuvent les accomplir.*»

30. **Jérémie 1 V11** déclare : «*La parole de l'Éternel me fut adressée en ces mots : Que vois-tu ? Je répondis : je vois une branche d'amandier, l'Éternel me dit : tu as bien vu, car je veille sur ma parole, pour l'exécuter.*»

31. Seigneur Dieu tout-puissant, souviens-toi d'avoir déclaré que tu veilles sur ta parole pour l'exécuter; j'y crois, et je suis en train de prophétiser comme tu me l'as recommandé selon le livre d'Ézéchiel : Écoute-moi, Père, et accomplis tes promesses dans ma vie en me répondant sans plus tarder, afin de montrer à mes ennemis que tu es vivant et puissant, au nom de Jésus-Christ!

32. Seigneur Dieu tout-puissant, il est écrit que tu n'es pas un homme pour mentir ni fils d'un l'homme pour te repentir de ses déclarations; Je te retourne ta parole en ce moment et te demande de te lever pour défendre ma cause, au nom de ton fils Jésus-Christ!

33. Je prophétise que mon Dieu me répond pour me prouver sa fidélité, afin de montrer à mes ennemis, qu'il ne me livrera pas entre leurs mains pour faire de moi ce dont ils rêvent, au nom de Jésus-Christ!

34. Merci, Seigneur, pour cette grande délivrance que tu viens de m'accorder : Que l'honneur et l'adoration te reviennent, au siècle des siècles, et ce, au nom de ton fils Jésus-Christ! Amen.

PRIÈRES PROPHÉTIQUES POUR ACTIVER VOTRE POTENTIEL

Confessions bibliques

1. Il est écrit en **Ézéchiel 37 V9.10 :** *«Il me dit : Prophétise, et parle à l'esprit! Prophétise, fils de l'homme, et dis à l'esprit : Ainsi parle le Seigneur, l'Éternel : Esprit, viens des quatre vents, souffle sur ces morts, et qu'ils revivent!» V10 «Je prophétisai, selon l'ordre qu'il m'avait donné. Et l'esprit entra en eux, et ils reprirent vie, et ils se tinrent sur leurs pieds : c'était une armée nombreuse, très nombreuse.»*

2. **Apocalypse 10 V11** *«Puis on me dit : Il faut que tu prophétises de nouveau sur beaucoup de peuples, de nations, de langues, et de rois.»*

3. **Apocalypse 11 V11** *«Après les trois jours et demi, un esprit de vie, venant de Dieu, entra en eux, et ils se tinrent sur leurs pieds; et une grande crainte s'empara de ceux qui les voyaient.»*

4. **Jean 14 V13** *«Et tout ce que vous demanderez en mon nom, je le ferai, afin que le Père soit glorifié dans le Fils.»*

5. **Ésaïe 60 V1.5** *«Lève-toi, sois éclairé, car ta lumière arrive, et la gloire de l'Éternel se lève sur toi.» V2 «Voici, les ténèbres couvrent la terre, et l'obscurité les peuples; mais sur toi l'Éternel se lève, sur toi sa gloire apparaît.» V3 «Des nations marchent à ta lumière, et des rois à la clarté de tes rayons.» V4 «Porte tes yeux alentour, et regarde : tous ils s'assemblent, ils viennent vers toi; tes fils arrivent de loin, et tes filles sont portées sur les bras.» V5 «Tu tressailliras alors et tu te réjouiras, et ton cœur bondira et se dilatera, quand les richesses de la mer se tourneront vers toi, quand les trésors des nations viendront à toi.»*

Prières prophétiques

1. Je proclame que mon heure de gloire a sonné, et que je réussirai tous mes projets cette année, au nom de Jésus-Christ!

Recommandation : Veuillez insister sur les points de prière partant du numéro 2, en passant au moins 4 minutes chaque sujet. Cela vous permettra de réactiver tout ce le découragement, la peur le stresse et les critiques et venant des humains et les attaques des forces de ténèbres ont étouffé ou tuer dans votre vie. Faites-le avec autorité, persistance, pour que cela fonctionne.

2. J'ordonne à tout potentiel qui dort en moi depuis des années de se réveiller et de se manifester, au nom de Jésus-Christ!

3. J'ordonne à mon inspiration et à ma motivation, qui ont été étouffées par les mauvais commentaires que les gens ont faits à l'encontre de ma vision, de se réveiller et de se manifester immédiatement, au nom de Jésus-Christ!

4. J'ordonne à toute bonne idée et inspiration que je n'ai jamais eu le courage de développer à cause de la peur d'échouer et du doute, d'être réactivées par la puissance du Saint-Esprit, et de se manifester au nom de Jésus-Christ!

5. Je prophétise la destruction de toutes mauvaises paroles adressées contre moi, par des gens qui cherchent à me décourager, afin de me pousser à abandonner mon rêve, au nom de Jésus-Christ!

6. Je prophétise que toutes les méchantes paroles venant de la langue de mes ennemis, et qui m'ont atteint comme des flèches et blessé émotionnellement, perdent leur emprise sur ma vie, au nom de Jésus-Christ!

7. Je détruis tous les mauvais jugements qui ont paralysé mon potentiel, et je prophétise la restauration de toutes mes vertus, au nom de Jésus-Christ!

8. Je prophétise que toute bonne chose que Dieu a plantée dans ma vie, que mes ennemis ont retardée et empêchée de se manifester depuis des années, se réveille et se manifeste immédiatement, au nom de Jésus-Christ!

9. Je prophétise que toutes les bonnes choses que mes ennemis ont attaquées et retirées de ma destinée, sans même me laisser le temps de prendre conscience de leur existence, soient restituées et activées, au nom de Jésus-Christ!

10. Je prophétise que tous mes potentiels et toutes mes vertus que les forces des ténèbres avaient déprogrammés et tués pour me retarder, soient reprogrammés et réactivés par la puissance du Saint-Esprit, au nom de Jésus-Christ!

11. Je prophétise la restauration et l'activation de tous mes potentiels et de toutes les opportunités, que mes ennemis ont empêchées de se manifester à la date que Dieu leur avait fixée, au nom de Jésus-Christ!

12. Je prophétise que toute bonne chose dans ma vie qui a été lourdement bombardée par des incantations et totalement éradiquée par mes oppresseurs, reçoit une puissance surnaturelle et se réactive immédiatement, au nom de Jésus-Christ!

13. Je prophétise que tout agent de la sorcellerie déguisé en ami, dont la mission est de ne jamais me laisser libérer mon potentiel, soit chassé de ma vie a coup de tonnerre au nom de Jésus-Christ!

14. Ange de l'Éternel, poursuis, frappe et expulse de mon entourage toute personne qui a été envoyée dans ma vie par la sorcellerie, pour m'empêcher de me concentrer sur le développement de mon potentiel, au nom de Jésus-Christ!

15. Je prophétise que tout agent envoyé par le royaume des ténèbres pour m'empêcher de réaliser ma vraie destinée soit interrompu par la colère de Dieu et expulsé de ma vie à coups de tonnerre, au nom de Jésus-Christ!

16. Je prophétise que toutes bonnes choses en moi qui avaient été endormies par les mauvaises paroles et les incantations prononcées contre moi se réveillent et se manifestent immédiatement, au nom de Jésus-Christ !

Recommandation : répétez la prophétie suivante à 7 reprises.

17. Je prophétise que toute bonne chose dans ma vie qui avait été étouffée par les sortilèges et envoûtements lancés contre moi depuis ma naissance, se réveille et se manifeste puissamment, au nom de Jésus-Christ !

18. *Il est écrit en **Ésaïe 60 V20** : «Ton soleil ne se couchera plus, et ta lune ne s'obscurcira plus ; car l'Éternel sera ta lumière à toujours, et les jours de ton deuil seront passés. »*

19. Je prophétise donc que mon étoile, mon soleil, et ma lune de destinée sortent de tout sommeil spirituel qui leur avait été imposé par les forces du mal, et transforment immédiatement ma vie, au nom de Jésus-Christ !

20. Il est écrit en **Psaume 84 V12** *: «Car l'Éternel Dieu est un soleil et un bouclier, L'Éternel donne la grâce et la gloire, il ne refuse aucun bien à ceux qui marchent dans l'intégrité. »*

21. ***Ésaïe 25 V8*** déclare *: «Il anéantit la mort pour toujours ; le Seigneur, l'Éternel, essuie les larmes de tous les visages, Il fait disparaître de toute la terre l'opprobre de son peuple ; car l'Éternel a parlé. »*

22. Je prophétise que l'ange qui se tient à la droite du Seigneur met fin à toute pauvreté que les forces des ténèbres utilisaient pour m'humilier, au nom de Jésus-Christ !

23. Il est écrit ***en Ésaïe 35 V10*** *: «Les rachetés de l'Éternel retourneront, ils iront à Sion avec chants de triomphe, et une joie éternelle couronnera leur tête ; l'allégresse et la joie s'approcheront, la douleur et les gémissements s'enfuiront. »*

24. J'ordonne à toutes mes opportunités que mes ennemis avaient enfermées dans le passé de sortir et de venir se manifester dans ma vie, au nom de Jésus-Christ !

25. Je prophétise que toutes bonnes choses que les forces des ténèbres et les mauvaises langues avaient tuées dans ma vie en les déclarant mortes, reçoivent la puissance, et se réveillent sans plus tarder, au nom de Jésus-Christ !

26. J'ordonne que tout ennemi de mon but sur terre, qui avait juré d'emporter mes bénédictions dans sa tombe, soit sévèrement punie par l'Esprit vengeur de l'Éternel, et que ce dernier me les restitue, au nom de Jésus-Christ !

27. Il est écrit en *1 Corinthiens 12 V11* : «*Un seul et même Esprit opère toutes ces choses, les distribuant à chacun en particulier comme il veut.*»

28. Jean répondit : «*Un homme ne peut recevoir que ce qui lui a été donné du ciel.*»*Jean 3 V27*

29. Je prophétise que toutes mes bénédictions volées, détournées et enfermées dans les ténèbres par mes ennemis, soient libérées, restaurées et me soient restituées, au nom de Jésus-Christ !

30. Je prophétise que toute chance que j'eusse ratée, soit reprogrammée et se manifeste avant la fin de cette semaine, au nom de Jésus-Christ !

31. Je prophétise que tout complot visant à m'arracher ce qui me revient pour l'offrir à quelqu'un d'autre, échoue et retombe sur la tête de ceux qui l'ont formé, au nom de Jésus-Christ !

32. Je prophétise que toute bonne chose qui me revient, et qui a été injustement accordée à quelqu'un d'autre, lui soit retirée et remise entre mes mains, au nom de Jésus-Christ !

33. Je prophétise que la promotion de nombreuses opportunités me seront accordée cette année, et que je vivrai dans l'abondance financière, au nom de Jésus-Christ !

34. Il est écrit : «*Le salut des justes vient de l'Éternel; Il est leur protecteur au temps de la détresse.*»*Psaume 37 V39.*

35. Je prophétise que toutes les demandes que j'ai faites et qui n'avaient jamais été prises en considération trouvent faveur et grâce aux yeux de tous ceux à qui elles ont été adressées, au nom de Jésus-Christ!

Recommandation : répétez la prophétie numéro 36 à 7 reprises.

36. Je prophétise que toute personne, dont le cœur avait été endurci contre moi par les forces des ténèbres, accepte désormais de m'aider et d'investir dans ma vie, au nom puissant de Jésus-Christ!

37. Je prophétise que toute personne qui avait été poussée par les forces des ténèbres à me refuser une aide qu'elle pouvait pourtant m'accorder, soit touchée par la puissance du Saint-Esprit, et m'accorde une double portion de faveur et de grâce, au nom de Jésus-Christ!

38. Je prophétise que toute demande que j'ai déposée dans le passé, ou que je déposerai cette année trouvera faveur et grâce aux yeux de toute autorité à qui elle a été ou sera confiée dans ce pays, au nom de Jésus-Christ!

39. Par la puissance du Saint-Esprit, je prophétise que je reçois de bonnes réponses à toutes les demandes que j'ai faites, au nom puissant du Seigneur Jésus-Christ!

40. Je prophétise que tout ce que ma bouche annoncera et tout ce que ma main entreprendra prospéreront jusqu'à ce que j'expérimente la gloire de Dieu dans tous les domaines de ma vie, au nom de Jésus-Christ!

41. Je prophétise que les circonstances changent en ma faveur, et que je reçois de grandes offres là où j'avais été autrefois refusé sans raison valable, au nom de Jésus-Christ!

42. Je prophétise que, où que j'aille, le Saint-Esprit dispose le cœur de tout le monde pour m'aider, et pour m'accorder ce que je désire sans effort, au nom de Jésus-Christ!

Recommandation : répétez la prophétie numéro 43 pendant 3 minutes.

43. Je prophétise que je serai accepté et apprécié partout dans ce pays et dans le monde entier, au nom du Seigneur Jésus-Christ!

44. Je prophétise que tout ce que j'entreprendrai trouvera faveur et grâce partout dans le monde, au nom de Jésus-Christ!

45. Je prophétise que chaque jour de ma vie m'apportera le bonheur, la faveur et la grâce, de telle sorte que je serai apprécié et aidé par ceux avec qui je travaille, au nom de Jésus-Christ!

46. Je prophétise que je serai aimé par toutes les personnes autour de moi, et que je recevrai des récompenses pour chaque effort fourni, au nom de Jésus-Christ!

47. Je prophétise que chaque acte que je poserai chaque jour de ma vie, sera apprécié et récompensé, au nom de Jésus-Christ!

48. Je prophétise que mes erreurs me seront toujours pardonnées, et que l'ennemi ne parviendra pas à transformer mes bienfaiteurs en opposants, au nom de Jésus-Christ!

49. Je prophétise que le plus beau désir de mon cœur ne se transformera jamais en cauchemar, comme le souhaitent mes ennemis jurés, au nom de Jésus-Christ!

50. Il est écrit en **Proverbes 21 V1.2 :** *«Le cœur du roi est un courant d'eau dans la main de l'Éternel; Il l'incline partout où il veut.» V2 «Toutes les voies de l'homme sont droites à ses yeux; mais celui qui pèse les cœurs, c'est l'Éternel.»*

51. Je prophétise que les bonnes personnes soient toujours disponibles pour m'aider à réaliser chaque chose que je désire accomplir dans ma vie, avant même que je ne songe à commencer, au nom de Jésus-Christ!

52. Il est écrit en **Ésaïe 60 V11 :** *«Tes portes seront toujours ouvertes, elles ne seront fermées ni jour ni nuit, afin de laisser entrer chez toi les trésors des nations, et leurs rois avec leur suite.»*

53. Je prophétise que mes portes seront toujours ouvertes avant que j'y frappe et que les gens me seront favorables sans que je sois obligé de les supplier pour m'aider, au nom de Jésus-Christ !

54. Merci Seigneur Dieu tout-puissant, pour toute ce que tu as fait pour moi, et pour toutes les réponses qui découleront de mes prières. Que l'honneur et l'adoration te reviennent, au siècle des siècles, au nom puissant de ton fils Jésus-christ de Nazareth ! Amen.

CONCLUSION

Faire des prières puissantes en vue d'être délivré de nos nombreuses difficultés est un fait qui permet à une personne de transformer sa vie. Toutefois, il existe des lois et des principes qui doivent être respectés pour que cela fonctionne. *Lévitique 19 V37 nous dit : «Vous observerez toutes mes lois et toutes mes ordonnances, et vous les mettrez en pratique. Je suis l'Éternel.» Josué 1 V8 déclare : «Que ce livre de la loi ne s'éloigne point de ta bouche; médite-le jour et nuit, pour agir fidèlement selon tout ce qui y est écrit; car c'est alors que tu auras du succès dans tes entreprises, c'est alors que tu réussiras.»*

Parfois, une personne peut prier pour avoir de nombreuses bénédictions et les perdre avant leur manifestation physique, si elle ne vit pas selon l'évangile. En effet, une bénédiction est semblable à la grossesse d'une femme enceinte qui attend le jour de la naissance. Et si celle-ci n'est pas protégée avec soin, la future mère risque de perdre son enfant. De même, quand Dieu nous exauce, il y a un temps pour la manifestation de ce qu'il nous a accordé. Malheureusement, c'est à ce moment-là que les gens baissent leurs gardes et se font dépouiller par les forces des ténèbres avant la manifestation de leurs miracles. Alors, après ces prières, veillez sur vos pas pour éviter de donner à l'ennemi une cause pour vous freiner. Souvenez-vous que l'ennemi est conscient que s'il n'a rien pour vous accuser, il ne pourra pas détruire le résultat de vos prières. C'est pour cela qu'il fera tout son possible pour vous induire en erreur pendant ou après l'utilisation de ce livre. Cela arrivera quand vous serez sur le point de recevoir ce qu'il ne souhaite pas que vous obteniez, car il sait que seul le péché peut mettre une barrière entre Dieu, notre créateur, et nous. *Ésaïe 59 V1.2 «Non, la main de l'Éternel n'est pas trop courte pour sauver, ni son oreille trop dure pour entendre.» V2 «Mais ce sont vos crimes qui mettent une séparation entre vous et votre Dieu ; ce sont vos péchés qui vous cachent sa face et l'empêchent de vous écouter.»*

Sur ces entrefaites, je vous conseille de toujours prendre des précautions en évitant la confusion, la colère et les rapports intimes abusifs, pendant vos prières et durant l'attente de votre réponse. De plus, souvenez-vous qu'un livre de prières doit s'utiliser au quotidien et non seulement lorsque tout va mal. Par mesure de précaution, priez chaque jour pour protéger votre vie et votre maison contre les attaques maléfiques, au lieu de laisser l'accès à l'ennemi pour venir semer la zizanie dans vos affaires avant que vous ne gaspilliez votre énergie à prier et à jeûner, dans l'espoir de reprendre le contrôle de ce qu'il vous a volé, ou de réparer les dommages qu'il a causés. Je veux juste dire par là que, parfois, il vaudrait mieux prier pour éviter les problèmes ; plutôt que de laisser l'ennemi venir semer le chaos, avant que nous cherchions à recoller les morceaux. Car souvent, certains dégâts liés aux attaques spirituelles venant de nos ennemis physiques et des forces du mal, sont irréparables ou laissent des séquelles inoubliables. Vous devez donc veiller et prier comme la parole de Dieu nous le recommande en **Matthieu 26 V41,** *en ces mots : «Veillez et priez, afin que vous ne tombiez pas dans la tentation ; l'esprit est bien disposé, mais la chair est faible.»*

Pour conclure, au cas où vous seriez tenté de mettre ce livre de coté après sa lecture, ou application, souvenez de ces deux conseils : (1) ***«aucun miracle n'est acquis tant que celui-ci ne s'est pas encore manifesté physiquement.»*** (2) ***«aucune prière n'est suffisante tant que celle-ci n'a pas apporté de résultat.»***

INFORMATIONS ET POINTS DE CONTACT

Pour rester connecté avec Euloge Ekissi en vue de recevoir des prières et des conseils gratuits, vous pouvez vous inscrire sur ses différents sites. Informez-vous des prochaines publications de l'auteur et de ses différentes activités. Vous pouvez aussi retrouver Euloge Ekissi sur les réseaux sociaux comme ***Twitter, LinkedIn, Spoke.com, Soundcloud, YouTube*** et bien d'autres sites et points de vente que vous retrouverez avec les moteurs de recherche en tapant tout simplement ce que vous désirez savoir sur Euloge Ekissi.

CONFÉRENCES ET SÉMINAIRES

Vous pouvez inviter Euloge Ekissi
pour vos conférences et séminaires.

TÉLÉPHONE • LIGNE DIRECTE

+1 438 995-4109

+1 438 989-2161

COURRIELS

prieresenligne@gmail.com

eulogeekissi@yahoo.com

SITES WEB

www.itanoh.com
www.onlineprayers.ca

www.prayerbooks.net

www.eulogeekissi.com

AUTRES PARUTIONS DU MÊME AUTEUR

COMMENT PRIER POUR OBTENIR UNE PROTECTION DIVINE MAXIMALE

Vivre dans ce monde fou sans une protection divine est un suicide spirituel. Cependant, nous pouvons prier pour voyager en sécurité, afin d'être aux bons moments et aux bons endroits avec de bonnes personnes. La prière nous permet de vivre nos rêves dans un bon état de santé. Alors, ne choisissons pas de mourir pour des choses que nous pouvons contrôler et surmonter. Si vous avez peur d'échouer, votre crainte n'enfantera que l'échec et la maladie, parce que la peur perturbe nos sens et attire des énergies négatives qui épuisent l'âme de l'être humain, qui chancelle étant dépourvu de force spirituelle. C'est pour cela que ce livre est conçu : pour aider les gens à trouver des solutions aux choses les plus tragiques qui affectent notre monde d'aujourd'hui, comme ce fut le cas depuis le commencement des temps, et ainsi en sera-t-il, jusqu'à ce que nous découvrions la vérité derrière ces phénomènes afin d'appliquer de bonnes solutions, pouvant nous aider à les éradiquer?

Ce livre, intitulé *Comment prier pour obtenir une protection divine maximale* est unique en son genre : il offre des prières de guérison, de succès et de protections divines jamais écrites. En plus du fait d'être un livre de développement personnel, cet ouvrage est également un livre de motivation contenant des paroles et des citations inspirantes qui vous aideront à voir le monde d'une nouvelle façon. En obtenant votre copie, vous connaîtrez la vérité et la vérité vous rendra libres.

244

Voici un petit aperçu de ce que vous découvrirez à l'intérieur : des citations de motivation, des prières pour redonner vie à votre potentiel, des prières de protection pour les voyageurs, des prières pour briser les mauvais rêves et le secret pour appliquer la Bible efficacement afin d'obtenir des réponses à nos prières. Vous y trouverez de puissantes prières de guérison divine contre le cancer, la tumeur et plusieurs autres maladies contagieuses et incurables. Il contient également des enseignements importants que nous ne pouvons nous permettre d'ignorer si nous voulons surmonter certains obstacles que la vie nous impose. Car sans révélation, il ne peut y avoir de guérison et de libération. Pour ainsi dire, sans la connaissance, il ne peut y avoir de percée et de succès. Obtenez votre copie dès aujourd'hui, et dites au revoir à vos difficultés qui n'ont que trop duré. » Il n'y a pas de meilleur moment pour agir, excepté celui que nous créons nous-mêmes pour saisir nos opportunités.

COMMENT ACTIVER LE POUVOIR DE L'AUTO-MOTIVATION ?

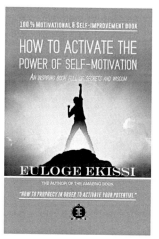

Si certaines batailles n'existaient pas, nos victoires seraient sans importance. Toutefois, si le combattant n'a aucune connaissance pour remporter rapidement la victoire, sa souffrance peut s'éterniser. Pour aller loin dans la vie, nous devons nous motiver pour apprendre à aller au-delà des limites qui nous sont imposées par la fatigue, la peur et le découragement. C'est peut-être après cette frontière que nous trouverons notre gloire. Mais nous devons avoir le courage de la traverser pour le savoir, car derrière toutes les barrières invisibles, existent de nouveaux horizons à découvrir.

- Avez-vous déjà rêvé de conquérir la plus haute montagne qui domine le monde?

- Vous êtes vous déjà vous imaginez comme un héros et un changeur de ce monde?

Ce livre vous forcera à rêver. Il vous maintiendra boosté à un point tel que votre vision du monde changera. Les clients se sont interrogés sur la source de sa sagesse et ses amis sur son courage; les anciens disent qu'il est incontestablement la révélation de sa génération, et certaines personnes ont même dit plus; en déclarant que Dieu a utilisé ses livres pour changer leur vie. Effectivement, chaque lettre et chaque page de ce livre contient des messages significatifs qui vous garderont motivé, inspiré, et plus fort que jamais. Ce manuel est de loin, l'un des livres de motivation et de développement personnel le plus inspirant jamais écrit auparavant. Sans même que l'on vous le dise, vous le constaterez du début jusqu'à la fin de votre lecture.

Ce livre porte un grand message qui semble répondre à certaines des questions cruciales de notre temps et donne au même instant les solutions à certains de nos problèmes. Si vous avez déjà été à la recherche d'un véritable livre d'inspiration, de motivation et de développement personnel, vous l'avez entre vos mains en ce moment; et même l'un des meilleurs.

COMMENT ACTIVER LE POUVOIR DE VOTRE AUTO-MOTIVATION est un livre de transformation mentale rapide qui vous fera marcher avec audace pour aller vers votre objectif. De même, il vous donnera des secrets nécessaires pour réussir dans la vie; car il contient de bons conseils pour exceller en affaires, et garder sa place sur le marché. Venant d'un champion, médaillé, auteur-compositeur, conférencier doté d'une sagesse très rare de nos jours, ce livre dévoile des secrets pour influencer et convaincre, soit un client, un partenaire d'affaires ou pour réussir à impacter les autres durant vos conversations. Non seulement il vous prouvera que vous méritez mieux, mais aussi il vous montrera comment obtenir ce que vous voulez dans la vie. Il n'y a qu'un seul mot qui peut servir à décrire le contenu de ce livre : FORMIDABLE! Car, il vous ouvrira les yeux et vous ne serez plus la même personne après sa lecture et son application. Comme l'auteur lui-même le dit si bien : *«ce n'est qu'en traversant les barrières et les limites qui nous sont imposées à travers des enseignements visant à nous dépouiller de notre vrai potentiel de créativité, que nous pouvons sortir des choses ordinaires résultant de notre limitation intellectuelle, pour créer des choses extraordinaires.»*

AUTRE PARUTION À VENIR

UN JOUR, POUR TOUCHER LE CŒUR DE DIEU

Certaines de nos batailles ne sont pas censées durer ; mais c'est notre ignorance des stratégies pour vaincre qui les prolonge. Cependant, le succès de la prière tient à une clé qui, une fois découverte, transformera votre vie à jamais. Vivre sans apprendre, c'est grandir sans mûrir. Prier sans obtenir de réponse tue notre foi et engendre le découragement. Pourtant, en découvrant la bonne façon de prier, nous parvenons à toucher le cœur de Dieu en un jour afin d'obtenir une réponse favorable. Toucher le cœur de Dieu en un jour, c'est prier pour recevoir une réponse immédiate.

La parole de Dieu nous demande de frapper pour que l'on nous ouvre et de chercher pour trouver. Néanmoins, plusieurs ne savent pas comment le faire et leur ignorance prolonge leurs souffrances. Pourtant, il existe des secrets permettant à certains de réussir là où les autres ont échoué à plusieurs reprises par manque de connaissances. Une foi sans œuvres est morte et c'est à force d'essayer sans réaliser leurs rêves que certains se contentent de petites choses, dans la vie. Souvenez-vous que de se contenter de petits résultats limite notre destinée. *Le plus grand ennemi de notre destinée est l'ignorance. Cependant, la prise de conscience est la clé qui nous permet de faire le premier pas vers notre délivrance.* À travers ce livre, nous vous offrons des stratégies de combat spirituel efficaces pouvant permettre à une personne d'obtenir rapidement une réponse à sa prière, sans passer des années à attendre un miracle qui ne vient jamais. Effectivement, le succès de la prière tient à une clé : en la découvrant dans ce livre, et en mettant en application nos stratégies, votre vie se transformera à jamais.

« *Faute de révélations et de nouvelles idées, on se sent obligé d'appliquer les mêmes stratégies, même si celles-ci ne fonctionnent pas.* » Toutefois, ce livre a un potentiel unique ; car il contient des enseignements et des point de prières formidables pouvant vous aider à vite atteindre vos objectifs. Alors, procurez-vous votre copie et mettez fin à certaines de vos batailles qui n'ont que trop duré.

En changeant nos habitudes, nous changeons notre vie et transformons notre destinée. « *En effet, si vous avez une pure volonté de réussir accompagnée de bons actes et de détermination, vous ferez de chaque jour de votre vie un soleil qui brille à jamais, et ce, même dans les pires circonstances de la vie.* » **1 jour pour toucher le cœur de Dieu** est un livre destiné à tous ceux qui désirent avoir une réponse rapide à leurs prières. Après l'avoir lu et appliqué, vous direz : « Je savais que mon heure allait sonner. »

Remerciements

Je remercie le Seigneur pour la réalisation de cet ouvrage. Je serai toujours reconnaissant à ceux grâce à qui le Seigneur m'a permis d'écrire cette nouvelle histoire. On me connaissait comme étant un coiffeur, photographe, chauffeur, interprète, artiste-chanteur, auteur-compositeur et évangéliste. Je suis donc conscient que je ne serais pas parvenu à être celui que je suis maintenant sans le soutien de tous ceux par qui ma personnalité a été forgée pour me permettre de tracer le nouveau chemin de ma destinée. Je dis merci à ma femme Mariani, qui a toujours été là pour me soutenir quoi que j'entreprenne. Merci à tous les membres de ma famille, notamment à mon grand frère Constant, qui a participé aux batailles de ma vie en m'aidant aussi à viser plus loin. Merci infiniment à ma mère Guachia pour son amour envers nous, ses enfants. Merci à ma grand-mère et à tous les membres de ma famille.

Merci à Maurice Voubou pour son soutien et ses précieux conseils. Remerciement spécial à Nigel Warren Brown, à Achille Manoua et son épouse pour l'assistance qu'ils nous ont accordée en nous aidant à traverser nos difficultés. Merci à Cornelie Mwenyi, à Yolande et sa sœur Lydie Zabré, à mon frère Alain Kazady et sa femme Nanette Kazadi. Merci à Eddy Nicoderme et à Lucie Eddy. Je ne cesserai de dire merci à Lawrence Kitoko, qui m'a tonifié de détermination à libérer mon potentiel. Merci infiniment à Charly Maiwan, qui a beaucoup fait pour ma famille et moi. Merci à Konan Félix pour la correction apportée et son soutien. Merci à Julien Jean-Claude. Merci de tout cœur à Julienne Hanfou, à son mari Bertrand et à toute sa famille pour la grandeur de leur cœur et pour la bonté qu'ils ont témoignée envers moi et ma famille. Je remercie infiniment Vincent Alou et sa femme Nadege Alou, aux États-Unis.

Merci à Holly Guillaume, un grand frère qui m'a toujours poussé à aller de l'avant. Merci de tout cœur à Seunan Martine, à Jean-Claude Olivier, en France ; je ne sais comment qualifier ce que tu as fait pour moi, mais le Seigneur te le rendra au centuple. Merci à Okou Jean-Marie pour sa gentillesse envers moi. Merci à mon oncle Pierre Lerocher. Merci à Sommé pour son soutien, sans oublier mon ami et mon frère Kouassi Stanislas pour la grandeur de son cœur. Remerciement spécial à Soro Drissa et à Tuo Dofanani. Merci à Cyrill Oga, Rita Roa, Jamal Aguibai et Kofi Jimmy. Merci à Max Kra, Mélanie Sullivan, Sandra Acevedo et Douglas Truth, en Californie. Merci à Patrick Denis et Annie Milovic, en Angleterre. Merci à maman Suzanne et à sa famille. Merci à Yapi Richard et à sa femme. Et pour finir, je remercie tous ceux dont j'ai probablement oublié les noms.

Achevé d'imprimer en décembre 2018
sur les presses numériques de

umen | digital,
à Montréal, Québec